# PABLO MARÇAL

# O DESTRAVAR DA
# INTELIGÊNCIA
## COMO HACKEAR O SEU CÉREBRO
# EMOCIONAL

Camelot
EDITORA

Copyright ©2022 Pablo Marçal

Direitos reservados e protegidos pela lei 9.610 de 19.2.1998.
Nenhuma parte deste livro pode ser reproduzida, arquivada em sistema de busca ou transmitida por qualquer meio, seja ele eletrônico, xérox, gravação ou outros, sem prévia autorização do detentor dos direitos, e não pode circular encadernada ou encapada de maneira distinta daquela em que foi publicada, ou sem que as mesmas condições sejam impostas aos compradores subsequentes.
1ª Impressão em 2022

**Presidente:** Paulo Roberto Houch
MTB 0083982/SP

**Coordenação de Revisão:** Priscilla Sipans
**Coordenação de Arte:** Rubens Martim
**Revisão:** Aline Ribeiro

**Vendas:** Tel.: (11) 3393-7723 (vendas@editoraonline.com.br)

Impresso no Brasil.
Foi feito o depósito legal.

---

**Dados Internacionais de Catalogação na Publicação (CIP)**
**(eDOC BRASIL, Belo Horizonte/MG)**

|  |  |
|---|---|
| M313d | Marçal, Pablo.<br>    Destravar da inteligência emocional / Pablo Marçal. – Barueri, SP: Camelot, 2022.<br>    15,5 x 23 cm<br><br>    ISBN 978-65-80921-12-6<br><br>    1. Inteligência emocional. 2. Técnicas de autoajuda. I. Título.<br>                                                        CDD 158.1 |

**Elaborado por Maurício Amormino Júnior – CRB6/2422**

---

Direitos reservados à
**IBC – Instituto Brasileiro de Cultura LTDA**
CNPJ 04.207.648/0001-94
Avenida Juruá, 762 – Alphaville Industrial
CEP. 06455-010 – Barueri/SP
www.editoraonline.com.br

# SUMÁRIO

DEDICATÓRIA.................................................5

PREFÁCIO......................................................7

AUTOCONFIANÇA..........................................11

BENEFÍCIO DO CAOS....................................19

CCC.............................................................27

DOMÍNIO PRÓPRIO......................................35

EMPATIA.....................................................43

FRUSTRAÇÕES.............................................51

GERENCIE SUA VIDA....................................59

HIPNÓTICO..................................................67

INTERPRETAR..............................................75

JULGAMENTOS.............................................83

KAMIKAZE...................................................89

LIBERDADE..................................................97

MAPA DE MUNDO.......................................103

NÍVEIS DE RESSENTIMENTO........................111

ÓDIOS E SUAS FACES.................................117

PERSONAGENS...........................................123

QI - QE - QS..............................................131

RESSIGNIFICAÇÃO......................................141

SEQUESTRO EMOCIONAL............................149

TREINAMENTO............................................155

UNIÃO X UNIDADE......................................163

VALORES X PRINCÍPIOS..............................169

WOW.........................................................175

X DA QUESTÃO..........................................181

YES...........................................................189

ZUNIDOS....................................................197

# DEDICATÓRIA

Quero dedicar este livro à minha amada esposa Ana Carolina Marçal, que, com os nossos mais de 10 anos de casados, eu comemoro desde o dia em que ela nasceu, a terra nunca mais foi a mesma, ela mudou a vida de seus pais, seus irmãos, seus amigos, mas ninguém nunca mudou tanto como eu, porque o seu propósito era me transformar naquilo que eu sou, e isso não seria possível através de nenhuma outra pessoa.

Lembro quando ela me aceitou na sua vida, mesmo quando eu não poderia oferecer nem uma carona, porque eu só tinha uma bicicleta. Lembro quando ela sonhou em casar comigo, mas eu não tinha a mínima condição de assumi-la. Também me recordo de pessoas da igreja a persuadindo em não se relacionar comigo, pois eu era pobre. Lembro-me muito bem de todas as coisas e de ver o coração dela em todos esses casos. E hoje estamos destravando a terra, e ela continua aquela mesma garota com um coração simples de 15 anos de idade, isso me alegra muito.

Querida, você não é a minha cara-metade, nós definitivamente somos um, nada pode dividir uma unidade. Eu me sinto amado por você todos os dias da minha vida, como compensou me guardar só pra você, a rainha amada da minha alma, do meu espírito e do meu corpo. Amo muito você e tudo aquilo que já construímos e construiremos juntos até depois do fim.

# PREFÁCIO

## SOMENTE PARA HOMENS E MULHERES QUE QUEREM COMANDAR A SUA VIDA

Espero que esse tempo dedicado à leitura seja o início de mais um processo de transformação em sua vida.

A cada capítulo, fornecerei a você ferramentas para a compreensão dos segredos de uma vida plena. Vamos escalar as montanhas da sua mente. Você aprenderá como desfrutar da sua vida no âmbito físico, emocional e espiritual.

A minha única certeza é: você não será mais o mesmo ao terminar de ler este livro e eu sempre digo: O fim é melhor que o começo!

Se você está procurando uma solução para os seus negócios, a salvação da sua família, ou simplesmente ter a solução para o caos da sua vida, é aqui neste livro que você encontrará a resposta.

Ao ler esta introdução, independentemente da sua idade, tenho certeza que se sentiu atraído por esse assunto, pois já percebeu a importância em investir na compreensão das Inteligências Emocionais.

Peço que tenha cuidado em não se tornar um obeso cerebral!

# PREFÁCIO

Gostaria de sugerir que você assista aos meus vídeos no *Youtube* e me acompanhe nas redes sociais, pois certamente esclarecerá e fixará melhor todos conteúdos.

No entanto, cuidado: se você aprender e não utilizar, ficará com obesidade cerebral e isso é uma coisa terrível. Já te adianto que, para cada hora de estudo, são necessárias 20 horas de prática. Lao Tsé, filósofo da China Antiga, já dizia que: "Saber e não fazer, ainda não é saber".

Certamente, essa leitura abrirá muitas portas desconhecidas do seu Eu interior, estou muito interessado em ajudá-lo e, durante esses dias de leitura, você será o meu convidado de honra. Prepare-se para a nossa viagem que será para dentro de você.

Comprometo-me em depositar o melhor do meu conhecimento para construir fundamentos sólidos em você. Começaremos a nossa jornada falando o quanto você é importante, o quanto a sua vida pode melhorar e outros temas que transformarão a sua mentalidade e a sua realidade.

Você conhece a sua força interior? Independente se sua resposta foi sim ou não, posso garantir que, neste livro, existirão os conhecimentos e as novidades a serem experimentadas e exploradas. Com a compreensão desses tipos de trilhas internas mentais, você expandirá o seu universo cerebral, a sua criatividade e a sua sensibilidade; logo, a transformação será inevitável em sua maneira de pensar e agir, o que será fundamental para o seu crescimento emocional.

Relacionamento não é baseado somente em interesse, mas em amor e em propósito. Compreenda isso e você terá um verdadeiro poder em suas mãos. Após ler este livro, lance-o no rio e você transbordará na vida de alguém. DEIXA O RIO FLUIR!

# Se você não tiver confiança em si mesmo, ninguém vai confiar em você!

CAPÍTULO 01

# AUTOCONFIANÇA

## Você conhece essa força interior?

Começaremos a nossa jornada falando de como a sua vida é importante, e, para isso, te mostrarei que a autoconfiança é algo que você precisa estabelecer como uma prioridade em sua vida e ela será uma de suas bases.

Você sabia que a autoconfiança é construída? Exatamente isso: ela não é algo que você tem, é algo que necessita desenvolver, podendo criá-la a qualquer momento! Ninguém é superconfiante o tempo todo, você precisa desejar ter autoconfiança e se esforçar na busca deste sentimento. De todas as pessoas que conheço, em algum momento, elas se sentiram abatidas precisando reorganizar os seus pensamentos e as suas atitudes.

Pouco importa se você não tem muita autoconfiança ou quase nenhuma; vamos começar agora mesmo essa transformação! A "treta" aqui é o que você precisa fazer para criar esse sentimento. O primeiro passo será: comandar o seu cérebro e seu corpo para terem ações para que essas mudanças aconteçam.

Silencie e perceba o quanto dessa força existe em você. Quantas vezes você se culpou pela falta de autoconfiança quando desistiu? Se sentir autoconfiante é um estado da sua mente, criado pelas reações fisiológicas do seu corpo. Mostrar sua coragem, determinação e autoconfiança apenas depende de você e de mais ninguém.

Aconteceu um fato em Atlanta, Estados Unidos, em que a mãe se chamava Ângela Cavallo. O macaco que segurava o carro acabou cedendo e caiu em cima do seu filho. O mais incrível é que a mãe de 51 anos, com apenas 65 quilos, conseguiu levantar o carro que pesava mais ou menos uma tonelada, somente para salvar o seu filho. De acordo com especialistas, ela teve uma descarga de adrenalina e, portanto, conseguiu levantar tanto peso.

A sua mente é como uma terra fértil, seus pensamentos são as sementes e a sua vida é o resultado dessa plantação. Se confiar verdadeiramente em você e na sua capacidade, vencerá qualquer desafio, como o exemplo da senhora Ângela.

## OS SEUS PENSAMENTOS CRIAM A SUA REALIDADE.

Existem algumas atividades que podem comprovar essa mudança de estado na mente humana através dos comportamentos físicos. Por exemplo: eu sempre indico que você comece pelo banho gelado, na verdade, o nome não é banho gelado, e sim banho natural, pois a temperatura da água dependerá da estação do ano e o local onde você se encontra. Com isso, você já começa a comandar o seu cérebro, impondo a ele coisas que ele não quer fazer. Essa é uma das maneiras de ditar as regras de forma consciente e dar o direcionamento de onde você quer chegar.

São muitos os benefícios do banho natural e compartilharei alguns com você: constrói força de vontade e disposição, melhora a resistência emocional, reduz o estresse, melhora a sua pele e cabelo, aumenta a testosterona e a imunidade, ajuda na recuperação muscular, melhora a circulação e teria ainda inúmeros outros benefícios, mas acredito que estes já são suficientes para encorajar você a começar hoje essa prática.

Não sei se você já percebeu como um simples sorriso pode mudar o seu estado interior? Comprove isso na próxima oportunidade que estiver bem irritado ou, em meio a uma discussão com alguém, experimente sorrir; é automática a interferência na mente, no seu modo de pensar, sentir e agir.

## SUAS AÇÕES CRIAM SUAS EMOÇÕES!

Comece a respirar fundo com maior frequência, no mínimo, três vezes ao dia. Isso oxigena o cérebro e traz uma sensação de alivio e paz. Para alcançar níveis maiores de autoconfiança, comece agora transformando o seu jeito de caminhar, a postura dos seus ombros e a tonalidade da sua voz. Lembre-se da posição da Mulher Maravilha: tórax elevado, mãos na cintura e pernas entreabertas; isso ajudará na liberação de endorfinas que melhoram o humor.

Você precisa de mais autoconfiança? Lembre-se agora de alguém que viu pela primeira vez e, mesmo sem essa pessoa ter falado sequer uma palavra, você identificou o quanto ela já era autoconfiante. Porém é lógico que conseguimos reconhecer até o caminhar de uma pessoa repleta de autoconfiança.

Quando você entende quem você é, a autoconfiança flui de dentro de você. Todas as pessoas por perto percebem essa transformação, não tem como não notar. Usufrua disso por favor, respire como uma pessoa autoconfiante, mova-se, fale, comporte-se como uma pessoa cheia de autoconfiança!

Para ativar o seu cérebro e dar aquele "START", faça algo ridículo. Por exemplo, agora mesmo onde você está, se estiver sentado(a), levante-se e faça algo diferente: bata palmas, ande de costas, vamos lá, faça alguma coisa ridícula e sinta-se mais vivo(a), recarregue suas baterias e sinta essa energia sair de você.

Faça isso frequentemente, diariamente, até se tornar um estilo de vida. Entenda, é simples, porém não é fácil; é simples porque qualquer idiota consegue fazer, mas não é fácil, porque os idiotas não conseguem repetir todos os dias.

A diferença entre pessoas que desistem e aquelas que conquistam está na capacidade de superar as aflições internas. Para essa superação acontecer, é preciso saber lidar com as suas emoções, mandar embora os medos, a ansiedade, a insegurança e os pensamentos negativos. Se você não tiver confiança em si mesmo, ninguém confiará em você! Tenha muita autoconfiança!

Algumas pessoas passam por situações na vida; lembro-me da história de um ator famoso, o Sylvester Stallone, um lutador na ficção e na vida real. Ele nasceu com paralisia facial e isso lhe rendeu apelidos e muito *bullying* em sua infância. Certo momento da sua vida, ele estava tão pobre que vendeu as joias da esposa.

As coisas ficaram ainda mais difíceis; ele morou por dias na rua e o pior aconteceu quando teve que vender seu cachorro por 25 dólares em uma loja de bebidas para um estranho, pois não tinha mais dinheiro para alimentá-lo. Dias depois desse fato, ele viu uma luta de boxe entre Muhammad Ali e Chuck Wepner, o que lhe inspirou a escrever o roteiro do filme de *Rocky Balboa*.

Ele escreveu o roteiro durante 20 horas sem parar; tentou vendê-lo e recebeu uma oferta de 125.000 dólares, mas ele tinha um único requisito: ele queria participar do filme como o personagem principal "Rocky" e o estúdio disse não, pois eles queriam uma "estrela" de verdade para o roteiro.

Disseram que ele "tinha um rosto engraçado e que falava engraçado". Depois de algumas semanas, eles aumentaram a oferta para 250.000 dólares e ele recusou, ofereceram 350.000 dólares e ele recusou mais uma vez, pois queriam apenas o seu roteiro. Depois de um tempo, o mesmo estúdio concordou em dar a ele 35.000 dólares pelo roteiro e deixá-lo participar do filme como sempre quis.

O filme ganhou vários prêmios, como você já sabe. E você quer saber qual foi a primeira coisa que ele fez com o dinheiro que recebeu? Ele passou dias esperando em frente à loja de bebidas, até que o homem que comprou o seu cachorro voltasse.

E quando ele o encontrou, foi até engraçado, porque o homem se recusou a vender o cachorro pelos mesmos 25 dólares. Então, acredite, Stallone teve que pagar 15.000 dólares pelo cachorro que ele vendeu por 25 dólares.

E o que vem à sua cabeça quando você fica sabendo que Abraham Lincoln perdeu sete eleições antes de se tornar o presidente dos Estados Unidos? Sem falar de Steve Jobs que foi demitido da sua própria empresa. Esses são alguns exemplos de superação. E, sem dúvida, você consegue pensar em outros exemplos de pessoas que superaram situações surpreendentes na vida, pessoas da sua família, do seu bairro ou da sua cidade.

É incrível saber que, assim como essa história, tantas outras pessoas "normais" também possuem histórias de superações e vitórias, e eu gostaria muito poder ouvir a sua história de superação. Se quiser, pode me mandar um *direct* no *Instagram* **@pablomarcal1** ou entrar em contato com a minha equipe.

Você não pensa ser ridículo o fato de que Walt Disney ter sido demitido do seu trabalho em um jornal por falta de imaginação, criatividade e boas ideias?

Perceba que todas elas têm um ponto em comum: desistir nunca foi uma opção. Se você perde dinheiro, perde pouco. Se você perde princípios, perde muito. Contudo, se você desiste, perde tudo!

## TAREFA

1) Quais são as 3 atitudes de comportamento que você adotará a partir de hoje para aumentar a sua autoconfiança?

_____

_____

_____

_____

_____

_____

O DESTRAVAR DA INTELIGÊNCIA EMOCIONAL

2) Identifique 3 situações que precisa abandonar para nunca mais desistir de nada em sua vida.

_____

_____

_____

_____

_____

_____

_____

# Você sabia que mais de 85% das preocupações que tomam conta da sua mente nunca acontecerão?

## CAPÍTULO 02

# BENEFÍCIO DO CAOS

## Como se beneficiar do caos?

Conseguir tirar benefícios do caos significa aprender com as novidades da vida e seguir em frente. Por que você deveria se beneficiar do caos? Aceitar extrair o benefício do caos na vida é melhor do que tentar combatê-lo.

A vida sempre foi imprevisível e repleta de coisas interessantes, e você simplesmente nunca percebeu isso. Não lute contra isso! Pare de lutar contra as imperfeições da vida, encare os altos e baixos como oportunidades para transformar você!

É preciso parar de pensar se as coisas funcionarão ou não para ter a coragem de tomar novas atitudes e avançar na vida. Por mais forte que seja, sempre surgirá na sua mente a questão do POR QUÊ deve fazer isso.

Você não pode controlar o caos. E a boa notícia é... Concentre-se no que você PODE controlar: que são seus pensamentos e suas ações.

Não fique muito tempo tentando garantir que o caminho a seguir seja o "certo", pois não há um caminho certo... Apenas existe o caminho que você está e é responsabilidade sua fazer ele dar certo. Pare de tentar descobrir o futuro e proporcione momentos para suas realizações no hoje e agora. Este momento agora é o melhor de tudo que você pode desfrutar.

## VOCÊ SABIA QUE MAIS DE 85% DAS PREOCUPAÇÕES QUE TOMAM CONTA DA SUA MENTE NUNCA IRÃO ACONTECER?

Você já ouviu a expressão: "É no meio da crise que as grandes ideias surgem"? Em nosso país, esse fato é muito levado em conta, visto que estamos entrando e saindo de crises com muita frequência.

Com isso, o benefício do caos vem ganhando a sua popularidade, pois é a partir de problemas que as oportunidades aparecem. É um grande desafio encarar as dificuldades de frente e crescer diante delas. Isto é, aceitar o caos como potencializador de crescimento, quando estiver sobre pressão.

Então, nunca fuja do CAOS. Esquivar-se e fugir para se proteger é muito mais fácil do que você imagina, porque o seu cérebro é preguiçoso, nunca quer mudanças e sempre procura um caminho conhecido e seguro.

**Procrastinar a crise é a adiar o seu crescimento.** Os momentos de caos, desespero e estresse são importantes para encontrar ideias novas. Porém, quando a crise for superada, a recompensa será o crescimento e uma avalanche de novas ideias, experiências e resultados.

Permita-se entrar no olho do furacão e entender como a sua mente pode trazer as soluções. Quando o seu cérebro começa a desafiar a inteligência emocional, se inicia um conflito, uma espécie de briga entre os sentimentos e os pensamentos.

Entenda, todo ser humano precisa ser testado, mas a palavra teste pode trazer erroneamente uma bagagem pesada de fardo que provavelmente foi instalado por suas experiências ou falas de seus relacionamentos mais próximos. Contudo, te mostrarei aqui o sentido verdadeiro desta palavra, ou seja, o teste sempre antecede uma aprovação e uma recompensa. Por isso, você precisa aprender que é necessário ser testado, isso mesmo! Apenas existem testes para sermos aprovados(as), pois o teste é a oportunidade perfeita para você ser aprovado(a) em público.

Isso é o que lhe diferenciará da média da população e lhe levará ao próximo nível. Certamente, será uma das melhores opções para o seu amadurecimento. Comece hoje a amar todos os testes, porque você amará as superações e todas as suas recompensas!

Existem várias situações que você nunca passou ou nem se permitiu passar. Quando algo inesperado acontecer, comece a olhar com a lente do crescimento e PARE de gastar energia pensando no PORQUÊ e no COMO essas coisas aconteceram. Direcione o seu cérebro com pensamentos para focar nas soluções, ganhos e aprendizados.

Vou te dar um exemplo: imagine um parente próximo que está passando mal e o seu cérebro começa a falar que ele vai morrer, que todos sofrerão e você já imagina até o velório. Agora, imagine você recebendo uma notícia que ele prosperou incrivelmente e está nas ilhas Maldivas de férias, visualize o roteiro de 10 anos futuros. Como ele está no futuro? Pense em um almoço em família e vocês juntos rindo muito.

## EM ALGUM MOMENTO, O SEU CÉREBRO TENTARÁ LHE SABOTAR, MAS VOCÊ PRECISA APROFUNDAR A HISTÓRIA E ACREDITAR QUE TUDO QUE VOCÊ ESTÁ PRODUZINDO MENTALMENTE É A PERFEITA VERDADE.

Na gestação do meu segundo filho, minha esposa estava muito preocupada, pensando que algo de ruim poderia acontecer com ele. E, de fato, num exame de ultrassom apareceu que o abdômen do Benjamin não estava crescendo. Logo, iniciou o processo de caos e desespero.

Quando situações como essas surgem, rapidamente, intensifico a conexão com a Fonte que é Deus e inicio o processo de mentalização, recordando as passagens da Bíblia que justifiquem a minha esperança no amanhã, na cura, no milagre e na prosperidade.

## EU FOCO TODOS OS MEUS PENSAMENTOS NO RESULTADO EXCEPCIONAL QUE ACONTECERÁ PARA MANIFESTAÇÃO DA GLÓRIA DO CRIADOR.

Então, coloco em prática o conhecimento de tudo o que fui aprendendo durante a minha vida – é exatamente isso que eu chamo isso de sabedoria.

## CONHECIMENTO É APRENDER, SABEDORIA É COLOCAR O CONHECIMENTO EM PRÁTICA.

A intimidade que tenho com o Criador me possibilita ser quem eu nasci para ser. Sei que existem pessoas que não pedem nada para Deus por achar que ELE está preocupado com coisas mais importantes, ou simplesmente, não conseguem ouvir a voz Dele.

Tem também as que quando não são atendidas em seus pedidos ficam *chateadinhas*. Contudo, eu te digo, essa intimidade é o fruto de uma prática diária; inicie hoje essa rotina e pare de procrastinar essa tarefa essencial em sua vida. Você perceberá que é muito simples, porém não é fácil.

Todos os relacionamentos precisam de intimidade! Você não conseguirá reconhecer a voz do Pai sem manter uma rotina diária de relacionamento com Ele.

O autoconhecimento também pode acontecer em momentos de grandes confusões. Se para você alguns desafios parecem insuperáveis, saiba que são essas dificuldades que lhe farão perceber o que você realmente quer para a sua vida.

## DIANTE DE UM PROBLEMA, É MUITO COMUM QUE A ANGÚSTIA E O ESTRESSE TE PARALISEM. NESSE MOMENTO, RESPIRE FUNDO E RETOME A CONSCIÊNCIA!

Lide de forma madura com o medo de perder, de não dar conta, de não alcançar, de não superar e entenda como uma adversidade pode obrigar você a descobrir a sua força interior.

Todos os envolvimentos com os problemas, quando forem bem resolvidos, te capacitarão para a próxima fase, porque o seu cérebro vai querer sentir novamente a sensação de prazer da conquista e ele será estimulado a buscar mais problemas.

Quando você abraçar o caos e começar a avançar na vida, terá um sentimento de satisfação, realização e se sentirá mais feliz.

A mente é como um músculo e, como qualquer músculo, precisa de treino para crescer e se desenvolver. Use o caos da vida para adquirir conhecimento, treinar e se desenvolver.

A mente que não for treinada, sempre estará buscando o mal antecipado. Então, deixe de lado o medo e coloque o foco no que é possível realizar.

## TAREFA

1) Escreva 3 situações passadas em que o MEDO foi o autor principal nas tomadas de decisões. Para cada uma delas, escreva como você poderia ter agido para ter resultados diferentes.

2) Com base no que aprendeu neste capítulo, como você reagirá quando estiver diante a uma situação de caos?

**Aproveite qualquer tipo de sentimento e canalize toda a energia para produzir perguntas.**

## CAPÍTULO 03

# CCC

## Como virar uma bomba de energia

Tudo é energia! Decidi te passar esse código, porque essa é uma das bases para a compreensão do mundo e da existência humana, especialmente quando ela é compreendida num campo espiritual. Temos a capacidade de entender as chaves da vida.

Isso é algo que ainda poucas pessoas realmente compreendem. Prepare-se para se familiarizar com algumas palavras como vibração, ondas, ressoar e frequência, uma vez que este é o linguajar de como é ensinado. A física quântica define esse campo como "forças invisíveis que criam o mundo físico".

Tenho um vídeo no *YouTube* que apresenta uma fácil compreensão dessa técnica chamada de **CCC**, que significa **Captar, Converter e Canalizar**. Neste vídeo, explico como os 5 sentidos interpretam tudo ao redor e de que maneira isso pode ser transformado em sentimentos e ações intencionais. Tudo é energia e os sentidos humanos não conseguem perceber isso na sua totalidade.

Compreender como canalizar as emoções e experimentar isso a seu favor levará você a viver uma vida acima da média em todas as esferas. Essa habilidade está ligada diretamente às percepções sensoriais, ao gerenciamento dos sentimentos e do ambiente.

É triste saber que a maioria das pessoas vive suas vidas debaixo da ilusão que o mundo é reduzido a interpretação dos sentidos físicos.

As diferenças são as interações dessas energias, suas quantidades e a sua utilização. É aqui que entra a utilização da técnica CCC, em que você capta a energia, converte e canaliza, transformando-a em resultados extraordinários. Por isso, eu digo que toda a energia pode ser aproveitada; não se preocupe se a energia inicial é boa ou ruim, qualquer energia pode ser captada, convertida e canalizada.

Vou relatar uma experiência para ilustrar melhor uma das maneiras de como utilizar a fórmula do CCC. Esse fato aconteceu com uma aluna, em uma de minhas imersões chamada de *Método IP*. Nessa imersão, tenho uma atividade para ajudar os participantes a criarem conexões entre eles. Para isso, peço aos alunos que se conectem com alguém e saiam para almoçar. Essa aluna escolheu o seu par e estava tudo combinado.

No entanto, em meio às conversas na hora de sair, ela demorou e aconteceu que o seu par escolheu outra pessoa e ela acabou ficando sozinha. O primeiro sentimento que ela identificou foi o da rejeição, sentiu-se paralisada por essa emoção, mas, como já conhecia a técnica do CCC, decidiu que esta seria a hora perfeita de colocar em prática.

Então, capturou a energia negativa da rejeição, começou a internalizar para encontrar uma maneira de fazer a conversão, transformando isso em algo favorável. A saída foi enfrentar os seus medos e decidiu com ousadia convidar para o almoço uma pessoa da minha equipe. E sabe o resultado desse relato? Ela se tornou parte da minha equipe!

Certamente, o resultado não seria esse se ela permanecesse na posição de vítima da rejeição. Agora, faça uma análise das palavras dela no parágrafo seguinte e dos passos que ela usou para transformar o meio e sua história de vida.

"...Eu tive uma infância turbulenta com a separação dos meus pais e o sentimento de rejeição sempre fazia questão de me acompanhar em todos os momentos da minha vida. Realmente o *Método IP* foi um divisor de águas na minha história! E quando a pessoa me disse: 'Que pena, você ainda está aí? Mas eu já convidei outra pessoa, me desculpe!'.

A vontade que eu tive foi de chorar e sair correndo como uma criança rejeitada, e, quando percebi esse sentimento se tornar em raiva, pensei: 'Isso não pode ficar assim'. Então, comecei a fazer perguntas para mim."

**1) O que você está sentindo?**

R: Rejeição

**2) Por que você está sentindo isso?**

R: Porque ela não quis minha companhia

**3) Esse sentimento é comum para você?**

R: Sim

**4) Quando foi a primeira vez que sentiu isso?**

R: Na minha infância

**5) Foi ela quem te criou?**

R: Não

"E foi nesse momento que pude ouvir a Voz de DEUS em minha cabeça dizendo: 'Você não pode ser rejeitada por quem não te criou! Não dê a essa mulher o direito de te rejeitar. Fui eu quem te criei e eu nunca te REJEITO'."

Perceba como ela começou a fazer perguntas para identificar o motivo dessa emoção e, ajustando os pensamentos dela, descobriu uma maneira de paralisar aquilo que seria destruidor. Essa minha aluna aproveitou a oportunidade para ressignificar e mudar de vida.

Aproveite qualquer tipo de sentimento e canalize toda a energia para produzir perguntas, elas irão soltar códigos malucos a seu respeito. Isso me fez lembrar a vez que meu pai não quis me dar um brinquedo e me sugeriu que vigiasse carros na rua para eu mesmo comprá-lo. Eu tinha nove anos e apenas queria "um brinquedo".

Posso te garantir que foi uma das melhores coisas que ele fez pela transformação da minha vida. A partir desse momento, tomei a decisão de captar, converter e canalizar!

Foi aí que dei adeus ao Pablo menino e assumi o controle da minha vida. Com isso, veio a responsabilidade em tornar o **"Ser em Ter"**, pois, antes de ficar, eu já era rico. O "ficar rico" usado aqui está no sentido de possuir riquezas, e o "ser" significa "ser na identidade".

O ser e o ter são frequências de energia e, se eles estiverem em níveis diferentes, causam uma quebra. Para haver uma quebra, existe a necessidade que isso, em algum momento, tenha sido algo inteiro, único; e é exatamente isso que você era antes da formação do mundo, você era inteiro e pleno dentro do seu Criador.

A sua mente precisa governar as suas vontades e emoções. Eu já era rico, porém não estava rico. Sei que, ao ler isso, você deve estar pensando que também precisa fazer esse encontro do "ser com o ter", e até pareceu ser uma tarefa quase impossível, mas não é.

Meu cérebro entrava em curto circuito, quando eu prestava consultorias a várias pessoas bilionárias e pensava como eu poderia ensinar algo que eu não "era", ou seja, eu ainda não estava bilionário. Foi aí que eu compreendi a "treta": "Eu não estou, mas eu já sou".

É obrigatório que a nossa mente e os nossos pensamentos

vejam as realizações antes das materializações! Esse foi o download que eu precisava para compreender a aplicação da fé que a Bíblia fala em Hebreus 11.

## QUEM TEM INTELIGÊNCIA EMOCIONAL VIVE UMA VIDA FORA DA MÉDIA EM TODAS AS ÁREAS.

### TAREFA

1) Relembre uma situação de pressão ou estresse que você passou e faça perguntas para aprender a identificar, converter e canalizar aquela energia.

2) Por que é tão importante aprender a canalizar qualquer tipo de energia?

**Você tem maior satisfação em dominar os outros do que dominar a si mesmo.**

## CAPÍTULO 04
# DOMÍNIO PRÓPRIO

## O maior poder pessoal

A expressão de domínio próprio no grego significa ter *temperança*, moderação ou autocontrole sobre nossos próprios desejos e paixões. Literalmente quer dizer "reprimir com mão firme". O domínio próprio pode soar negativo como um controle exagerado, uma limitação da personalidade, porém ele é a parte mais importante no processo de crescimento da Inteligência Emocional.

Precisamos compreender que nós seres humanos somos seres insaciáveis em nossos desejos, e, por isso, precisamos muito de domínio próprio.

Saber se controlar é importante para conseguir ter bons relacionamentos e ser bem-sucedido em todas as áreas da sua vida. Contudo, as pessoas que agem por impulsos, sem pensar nas consequências das suas atitudes, geralmente, não conseguem ter bons resultados e costumam ser excluídas por companheiros e amigos.

**QUEM TEM DOMÍNIO PRÓPRIO NÃO PERMITE QUE SENTIMENTOS E DESEJOS ESTEJAM NO CONTROLE, NÃO SE DEIXA DOMINAR POR ATITUDES, COSTUMES OU PAIXÕES.**

**SE VOCÊ NÃO CONTROLAR OS SENTIMENTOS E IMPULSOS, SERÃO ELES QUE IRÃO TE CONTROLAR.**

O autocontrole emocional é a condição de reconhecer, gerenciar as emoções e permanecer em paz, até mesmo em situações estressantes. Quando as emoções assumem o domínio, a capacidade mental racional é bloqueada. Esse bloqueio na capacidade mental cognitiva faz com que você aja impulsivamente, fazendo ou dizendo coisas sem pensar a ponto de prejudicar todos os seus relacionamentos.

Quando você se depara diante de um problema, a melhor estratégia é começar a resolver; fugir ou se desesperar não lhe levará a nada. Isso não significa evitá-los, ignorá-los ou reprimi-los.

Concentre-se em ser o mais assertivo possível, tente controlar sua fala. A língua é um dos maiores causadores de problemas, pense um pouco mais antes de sair falando qualquer coisa e, se quiser realmente mudar este quadro, comece a fazer perguntas.

Se, por exemplo, você está acostumado a ficar com raiva e fazer um drama real, quando a pessoa que você está tentando contatar não atende às suas ligações, pare agora mesmo com isso, substitua esse comportamento e escolha pensar de maneira racional e com calma. Ou você é aquele que tem costume de reagir agressivamente no trânsito, isso pode colocar sua vida em perigo e também a de outras pessoas.

Certa vez, em Goiânia, eu fiz uma cagada no trânsito, parei errado e alguém gritou assim: "Burroooo". Isso aconteceu há mais de oito anos. Após ouvir o xingamento, engatei uma ré e fui atrás de quem havia me xingado, pensando como eu poderia mostrar para aquele cara idiota quem era o burro! Eu lembro desse fato perfeitamente, mesmo tendo se passado tanto tempo.

Deixe-me falar uma coisa: claro que hoje eu não ajo mais assim no trânsito, eu nem sequer respondo gesticulando e muito menos abro a minha boca, pois considero um desperdício de energia e não tenho nenhum retorno sobre esse investimento, eu não ganho nada com isso.

Por favor, não gaste sua energia com coisas insignificantes, porque existem alguns bandidos por aí e eles podem estar com uma pistola ponto 40, querendo descontar a raiva deles em alguém sem domínio próprio. Faz parte da **IE** (*Inteligência Emocional*) fazer uma espécie de avaliação das lutas que você precisa entrar e qual será a recompensa que poderá ganhar com essa batalha.

## TER INTELIGÊNCIA EMOCIONAL É SER LIVRE PARA ESCOLHER COM SABEDORIA O SEU PRÓXIMO PASSO.

Imagine a cena de alguém te chamando de cachorro, você vai começar a se comportar como um cachorro, latindo? É lógico que não! Porque o que a pessoa falou ao teu respeito não te define e nem te diz respeito. Você é imagem e semelhança do Criador.

Então, porque você se irrita tanto quando alguém te chama de idiota? E por que você começa a agir como um verdadeiro idiota, dando ouvidos a essa mentira? Nunca mais caia nessa armadilha emocional. O que as pessoas pensam e falam de você não é da sua conta. Você sabia que terá um julgamento de palavras? São essas pessoas que prestarão conta de todas as palavras proferidas no dia do juízo, como relata a Bíblia em Mateus 12:36: "Por isso, vos afirmo que de toda a palavra fútil que as pessoas disserem, dela deverão prestar conta no Dia do Juízo".

## NOSSAS RESPOSTAS EMOCIONAIS DEPENDEM DE COMO PERCEBEMOS E AVALIAMOS AS SITUAÇÕES QUE ESTAMOS PASSANDO.

Se as suas respostas emocionais são assertivas, você não terá com que se preocupar, ou seja, são adequadas para a situação em que está vivendo. Contudo, se, em muitas vezes, você sente emoções negativas e a intensidade delas ainda o domina são sinais que precisa fazer algo urgente para mudar isso.

Quer saber o que eu respondo para as pessoas que querem me dar um *feedback*? Eu digo: "Não quero saber seu *feedback* agora, mas, quando eu quiser ouvir, eu te chamo".

O que pensam sobre a minha vida não me preocupa e não quero saber. Normalmente, essas pessoas ficam chateadas e me dizem que sou um arrogante, e eu respondo que não sou, eu apenas não quero ouvir a opinião deles naquele momento.

Para não ser deselegante, eu sempre dou um sorriso no final da frase, pois, dessa forma, a pessoa aceitará melhor. Sugiro que você faça isso também. Precisamos ter elegância ao falar a verdade. Então, quando precisar passar algo direto para alguém, seja elegante e garanta aquele sorriso no final da frase.

Aproveitando o assunto, digo que você pare agora de dar opinião. Eu, Pablo Marçal, apenas aceito opiniões de quem tem compromisso com o meu resultado. Aceite conselhos somente se a pessoa que forneceu o conselho terá um compromisso com o seu resultado.

## A OPINIÃO É UMA MERCADORIA BARATA DE QUEM NÃO TEM COMPROMISSO COM RESULTADO!

Você é um avião a jato muito potente, mas está andando nas ruas como um carro em vez de alçar voo. Você é realmente um avião a jato, porém fica andando na rua com um motor a jato onde deveria ter apenas carros. Seu lugar não é no chão, não é a rua. Então, decola!

Eu sou o Titi, o seu mentor aqui, decola moço(a)! Para de ficar dando bobeira na vida, a dica que eu te dou é: "Quem decola se torna uma pessoa com domínio próprio, e não se importa com o que os outros pensam a seu respeito. Isso é problema apenas deles.

Então, me diga até quando você se contentará com as migalhas da sua vida? Existe um lugar de desfrute para você e toda a sua família.

Você poderá aprender sobre domínio próprio com muita gente, mas nenhum ensinamento será melhor do que o que vier acompanhado pelos princípios do Criador, pois Ele é o dono de todas as inteligências, foi Ele quem criou todas as coisas.

Quando fez o homem, Deus lhe deu o privilégio de dominar sobre todas as coisas: *"Também disse Deus: Façamos o homem à nossa imagem, conforme a nossa semelhança; tenha ele domínio sobre os peixes do mar, sobre as aves dos céus, sobre os animais domésticos, sobre toda a terra e sobre todos os répteis que rastejam pela terra"* (Gênesis 1.26).

Esta capacidade, no entanto, nem sempre acontece quando se trata do homem dominar a si mesmo. Você tem maior realização em dominar os outros do que dominar a si mesmo. Por mais que você queira fazer o bem, nem sempre o pratica.

Não adianta querer invalidar os argumentos, esse assunto é comprovado até pela ciência, porém você é livre e pode acreditar naquilo que quiser.

*"Como cidade derribada, que não tem muros, assim é o homem que não tem domínio próprio."*

(Provérbios 25.28)

Esta advertência não é um convite à passividade, mas um desafio a se autoconhecer e a se esforçar mais para viver segundo o padrão de Deus. Vou te contar uma coisa: quando você não tem experiências com o Criador, a tua capacidade de domínio próprio é muito baixa.

Uma das coisas que mais impactam e fazem uma diferença violenta na minha vida é ter compreendido a Inteligência Emocional aos olhos do Criador. Te recomendo a buscar essas experiências e encontrar com convicção as respostas das perguntas a seguir: Quem você é? Quem te criou? Quem te salvou? E para onde você vai?

**ENTÃO, SE VOCÊ NÃO CONSEGUE FAZER PERGUNTAS DE MANEIRA ESPONTÂNEA E NATURAL, PROVAVELMENTE, É PORQUE VOCÊ PODE TER ALGUM BLOQUEIO NA INFÂNCIA OU NA ÉPOCA ESCOLAR E COM ISSO O SEU CÉREBRO FOI DESPROGRAMADO PARA PERGUNTAS.**

Por conta das repreensões, você passou a acreditar que todas as pessoas que fazem perguntas não têm respeito e são rebeldes.

Wooooww, então, Jesus era um rebelde? Chegava uma pessoa e perguntava: "Você é o rei dos judeus?". E Jesus falava: "É você quem está falando?", e a pessoa logo entendia e se retirava.

Todas as vezes que alguém chegava a Jesus, ele lançava alguma pergunta e curava a pessoa. O Mestre dos Mestres pouco falava, porém ensinava e questionava muito. Tinha como grande habilidade a arte de fazer perguntas. Ele estimulava os discípulos através de perguntas.

### INVISTA O SEU TEMPO NA COMPREENSÃO DO DOMÍNIO PRÓPRIO, SABE POR QUÊ? PORQUE ELE LHE PROPORCIONARÁ A TOMAR DECISÕES CLARAS E SEM FILTROS.

Para ter um melhor aproveitamento e fixação de conteúdo, o seu Mentor aqui lhe passará algumas tarefas muito importantes que lhe farão decolar.

### TAREFA

1) Você precisa tirar o seu cérebro do modo automático. A partir de hoje, você precisa começar a questionar todas as coisas. Transforme todas as respostas em perguntas. Você dá conta?

---

---

---

2) Quais são as situações que você não consegue ter domínio? Reflita sobre elas e, para cada situação, faça uma tarefa para exercitar o domínio.

---

---

---

# O amor está em guerra.

CAPÍTULO 05

# EMPATIA

## O que pode atrair você?

A empatia é alimentada pelo autoconhecimento e, quanto mais consciente você estiver acerca de suas emoções, mais fácil será de entender o sentimento alheio.

**SER EMPÁTICO PARA ALGUMAS PESSOAS NEM SEMPRE É UMA TAREFA FÁCIL. O QUE PODE SER MUITO LEVE E PRAZEROSO PARA ALGUNS, PODE SER EXTREMAMENTE DIFÍCIL PARA OUTROS.**

Pessoas confusas acerca de seus sentimentos ficam perplexas ao ouvirem outras pessoas compartilhando as suas dores, seus fracassos e suas perdas. Essa frieza em relação aos sentimentos dos outros significa que existe uma grande deficiência emocional e uma trágica falha na compreensão do que significa "Ser Humano".

Esses defeitos são encontrados em péssimos ouvintes e ótimos julgadores. Eles se consideram juízes e "donos da razão", aplicando seus veredictos, criticando e menosprezando os outros.

Sentem-se incomodados com os problemas alheios e, mesmo sem perceber, são mestres em fazer os outros se sentirem inferiores, danificando e prejudicando a autoimagem daqueles que apenas queriam dividir suas dores.

O estudo de Neuromarketing diz que, se você colocar bebês ou cachorros nas suas propagandas, isso facilitará suas vendas, pois esses apelos conseguem prender a atenção. Enquanto alguns usam imagens engraçadas e fofas, há ainda os que usam tragédias, desastres e catástrofes para chamar sua atenção. E sabe por que isso funciona? Por conta da empatia.

Você pode aprender mais sobre empatia com um bebê de um ano que, quando assiste um outro bebê cair, chora junto com a intenção de se compadecer e trazer conforto, do que com adultos que, ao verem um amigo cair, tropeçar ou perder algo, dão risadas e ainda dizem: "Eu avisei".

Foi abordado acima sobre os bebês e o quanto temos para aprender com eles. Já percebeu o quanto existem pessoas que onde chegam são queridas e bem-tratadas, mesmo não tendo nada a oferecer? Essas pessoas têm algo que atraem os outros. Não falo sobre a atração física, mas aquela atração que te leva a querer fazer negócios ou apenas estar junto.

**Quando a pessoa tem empatia ela possui dentro dela o Amor.**

Somente uma pessoa que tem amor é capaz de transbordar e se colocar no lugar do outro. A empatia abre as portas para o amor realizar os milagres e torcer pelo sucesso do outro.

Se você pensava que não tinha ferramentas para ajudar aliviar a dor do outro, eu te digo que o simples fato de ouvir e não criticar, já revela a sua capacidade de praticar a empatia.

Existe uma diferença entre ser um psicopata e ser uma pessoa fria emocionalmente, ou seja, alguém que utiliza esse sentimento como uma autodefesa para o cérebro bloquear os sofrimentos.

Os psicopatas são os que possuem uma anomalia no funcionamento das amígdalas e circuitos relacionados, por exemplo: quando estão em situações de perigo não demonstram qualquer sinal de medo, como ocorreria em qualquer pessoa normal. Os psicopatas não se preocupam com as punições futuras, não sentem medo, não dão lugar para a empatia e, por isso, não sentem piedade da dor de suas vítimas.

Já os frios emocionais são pessoas que normalmente vivem no passado presas aos seus bloqueios. As dores repetidas fazem da alegria uma prisioneira do coração bloqueado.

## NÃO É FÁCIL LIDAR COM A PRÓPRIA DOR E MUITO MENOS COM A DOR DO OUTRO.

Mágoas, frustrações e feridas podem estar armazenadas em você e qualquer coisa que possa acionar esses drivers mentais a dor reaparece. É muito comum na infância ter o sentimento de culpa e responsabilidade pelos erros de irmãos ou amigos de escola. Esses eventos geram bloqueios emocionais, onde essa criança cresce com medo, vergonha e rejeição, internalizando que sempre faz tudo errado e não é capaz de concluir nada.

Geralmente, a armadura da frieza vem acompanhada de comportamentos que caracterizam a pessoa como super-heróis e que suportam tudo e que nunca precisam dos outros como forma de proteção.

## A FRIEZA É UMA ARMADURA PODEROSÍSSIMA, ELA CRIA UMA SEPARAÇÃO ENTRE EU E O OUTRO.

Pois, quando você usa esses artifícios, se esquece de quem você é, da sua identidade e afasta as pessoas ao redor, não permitindo que essa armadura seja retirada pelo fato de se sentir protegido.

A verdade que preciso revelar é que, quando a armadura cola e se torna um com você, essa mesma armadura que te protegeu até agora pode ser a causa dos maiores danos, sendo ela algo indispensável por sua fragilidade. Aí sim você tem mais um problema a enfrentar!

## PARA DESCOBRIR O SEU VERDADEIRO EU, DEIXAR FLUIR O AMOR QUE TEM DENTRO DE VOCÊ E SE SENTIR AMADO, É NECESSÁRIO RETIRAR A ARMADURA E SE TORNAR TOTALMENTE VULNERÁVEL AO ESPÍRITO SANTO.

Também quero compartilhar com você casos bem conhecidos, como, por exemplo, os de sabotagem entre pessoas rivais, sejam em esportes, empresas ou até concorrentes de comércios que, de forma hedionda, armam situações para prejudicar o outro, mas, ao se deparar com o resultado de suas atitudes, se arrependem e se entregam para a polícia ou confessam ao opressor os seus delitos.

**Sabe por que eles se arrependem e confessam? Por empatia.**

Outro caso muito conhecido é o de marido que bate na esposa por insegurança ou ciúmes e, quando percebe a dor da esposa, se sente arrependido. Assim também são os pais que, de forma dura e agressiva, acham que estão educando seus filhos e protegendo, mas, na verdade, estão reprimindo e prejudicando o desenvolvimento emocional e até o intelectual.

Enfim, hoje ao terminar este capítulo, você terá ferramentas para se posicionar a favor da sua vida.

## AGORA DEPENDE DE VOCÊ PARA TOMAR O PRIMEIRO PASSO EM RELAÇÃO A EMPATIA. MUITAS PORTAS SE ABRIRÃO E VOCÊ EXPERIMENTARÁ UM NOVO E MAIS PROFUNDO NÍVEL DE ENTENDIMENTO SOBRE A VIDA E EXPERIÊNCIAS INCRÍVEIS QUE PODERÁ VIVER.

Ninguém gosta de ser magoado e, às vezes, a bagagem é tão pesada que não se tem nem recurso interno para começar a limpar o passado. Se você for apático à dor do outro, volte para onde foi ferido e ressignifique o motivo da dor.

Você nunca conseguirá ser empático, se não parar e observar.

**A empatia requer que o egocentrismo seja deixado de lado para dar espaço ao altruísmo, ou seja, ajudar outras pessoas sem receber nada em troca.**

Saber ouvir é muito importante, mesmo quando você pensa não ser capaz de dizer algo para ajudar alguém. Por exemplo, quando está ouvindo atentamente o que a outra pessoa tem a dizer, as palavras certas de conforto acabam por aparecer.

Ah, deixa eu te contar uma coisa: nem sempre as palavras são necessárias. Um abraço, um beijo ou mesmo um tapinha nas costas, quando feito com sinceridade, já é um sinal de que você "sentiu" o sentimento que aflige o seu próximo. Não existe uma forma correta, predefinida de como devemos lidar com as pessoas, mas usar a empatia é a melhor maneira.

## CADA INDIVÍDUO É ÚNICO E ESSA É A BELEZA DA VIDA. TER A SENSIBILIDADE PELA NECESSIDADE DO OUTRO É ESSENCIAL PARA QUE AS PESSOAS POSSAM SE RESPEITAR, VIVER EM SOCIEDADE E APRENDER A CONVIVER COM AS SUAS DIFERENÇAS.

### TAREFA

1) Após ter compreendido o que é empatia, você já pode responder para si mesmo em qual grupo está e também já consegue filtrar para quem você abrirá e dividirá as suas dores.

2) Faça uma relação das diferenças do ser Apático e Antipático.

# A frustração faz parte do caminho de quem quer crescer, de quem busca evoluir.

## CAPÍTULO 06
# FRUSTRAÇÕES

## Quais são as suas fugas?

O indivíduo adulto é resultado de suas características biológicas somadas às experiências vividas desde a infância, se identificando com seus familiares de origem e seus relacionamentos, porém todas as vezes que ele se sentir frustrado, se não tiver inteligência emocional dará início ao processo de fuga.

Em meu treinamento chamado *Método IP*, existe uma das atividades onde ensino a identificar essas características, para excluí-las ou potencializá-las. Essa identificação te ajudará a atingir um nível mais elevado em suas novas conquistas. Tudo o que tenho visto e vivido confirma que eu nasci para dominar na terra e fazer tudo o que eu quiser.

### HOJE O MEU PROPÓSITO É DESPERTAR ESSE POTENCIAL QUE ESTÁ AÍ DENTRO DE VOCÊ E TE COLOCAR EM UM NÍVEL POUCO EXPERIMENTADO QUE É O LUGAR DE VENCEDOR.

Você observou bem o que eu disse acima? Que a minha intenção é fazer você desfrutar que é um vencedor, porém, antes disso, você precisa entender que as frustrações têm te colocado em estado de fuga. Isso mesmo! Você tem se distanciado de sua identidade, daquilo que realmente você foi criado para viver nesta terra, o que tem criado em você frustrações ainda mais profundas.

Na Psicologia, a frustração é uma resposta emocional comum relacionada à raiva, aborrecimentos e decepções. Surge da resistência de cumprir a vontade de um indivíduo e provavelmente aumenta quando a vontade ou objetivo for negado ou bloqueado.

Existem dois tipos de frustração: a interna e a externa.

– A frustração interna pode surgir por complicações nas realizações pessoais, desejos, impulsos, necessidades instintivas e na falta de confiança ou medo.

– A frustração externa envolve condições fora do controle do indivíduo, como, por exemplo, um obstáculo físico, uma tarefa difícil ou a sensação da perda de tempo. Existem várias maneiras que você pode lidar com a frustração, porém a maneira inteligente seria impulsionar o sentimento de resiliência por meio de esforços aprimorados.

## UMA PESSOA COM ALTA TOLERÂNCIA À FRUSTRAÇÃO PODE SER CAPAZ DE LIDAR COM REPETIDOS DESAFIOS E FALHAS SEM EXPERIMENTAR UMA FRUSTRAÇÃO SIGNIFICATIVA.

Já a pessoa com baixa tolerância à frustração pode ser rápida em se sentir frustrada, quando solicitada para executar tarefas de dificuldade moderada ou de sua total ignorância. Outras pessoas, ao se frustrarem, se afastam e não querem mais contato com a situação.

Exemplo: um marido que resolveu separar depois de anos de casamento, porque a esposa disse no meio de uma briga que ele não era o marido que ela sonhava, mas isso foi dito no calor do momento e não refletia o real sentimento dela. Como ele se considerava dedicado à família e esperava reconhecimento, ficou tão frustrado que pediu a separação. Foi uma decisão de fuga e, apesar de ter se livrado do que ele considerou injusto, perdeu toda a parte boa do casamento.

Cada um sabe como se sente quando tem um dia ruim, isso é simplesmente uma parte de ser humano, portanto, o importante é saber o que fazer nesses dias, quando sente uma energia negativa e uma tensão mental dentro de você que está pronto para explodir. Em algumas vezes, o calor é tanto que literalmente você parece que explodirá! Agora, quero reforçar para você que fica decepcionado e se sentindo frustrado por conta dos problemas, a notícia é que eles estão em todas as áreas da vida.

A área financeira traz muita frustração, já que o dinheiro traz conforto, *status* e uma série de vantagens.

Não somos perfeitos é o que posso te dizer! E você que se compara a outras pessoas está em uma enrascada. Algumas pessoas até dão cabo da própria vida por não saberem lidar com as frustrações.

## NO ENTANTO, SEMPRE HÁ MEIOS DE SUPERAR ESSES SENTIMENTOS DOLOROSOS E DAR A VOLTA POR CIMA.

Um experimento realizado nos anos 1960 em Stanford, na Califórnia (EUA), ficou famoso entre os psicólogos e deu origem a uma série de novas pesquisas. Nessa pesquisa desenvolvida por Walter Mischel, tratava-se de crianças com a idade de 4 anos. Cada criança recebia um marshmallow com a seguinte instrução: pode comer o doce imediatamente ou esperar 20 minutos e comer dois doces. A decisão tomada pela criança previu algo sobre o futuro dela.

Com base em décadas de pesquisa, Mischel demonstrou que a criança que resistiu ao sentimento de frustração e não comeu o marshmallow imediatamente, tornou-se mais resiliente e mais resistente aos estresses do dia a dia.

## A FRUSTRAÇÃO EM DETERMINADO GRAU É UMA FORMA DE AUTORREGULAÇÃO E AUTOCONTROLE.

Todos nós temos problemas em alguma área e, como já disse acima, não existe ninguém perfeito. Eu aposto que, agora mesmo, existe alguma coisa ou situação que você ficaria muito feliz em conseguir mudar, certo?

## A FRUSTRAÇÃO FAZ PARTE DO CAMINHO DE QUEM QUER CRESCER, DE QUEM BUSCA PASSAR DE FASE.

Contudo, a inteligência emocional é o que nos diferencia e é a capacidade de superar essa insatisfação. É o que nos faz amar os problemas; e quem resolve problemas recebe as RECOMPENSAS.

Os desafios podem direcionar pessoas para se tornarem bons resolvedores de problemas, e essas pessoas que não são paradas pelos obstáculos viverão a realização que vem acompanhada de uma sensação de prazer e satisfação. Após compreender o estado de frustração e fuga, quero te conduzir a um estado de fluidez e transbordo onde as faltas já não são mais contabilizadas, logo a prosperidade será natural.

Para que você possa desfrutar da vida plena, vamos ter um caminho a percorrer onde eu lhe ensinarei o que é a Fé – e que alguns a chamam de mentalização ou poder da mente.

A Fé é a peça indispensável para seguir o fluir que acontecerá através de você, trazendo a realidade aquilo que ainda não existe no mundo físico.

**TODA A SEMENTE CARREGA DENTRO DE SI A RESPOSTA, COMO TUDO NA NATUREZA PROSPERA NATURALMENTE.**

**O QUE ESTÁ FALTANDO EM VOCÊ PARA QUE VIVA DE MANEIRA PLENA E NATURAL E PARA QUE DEIXE DE SER UM FRUSTRADO FUJÃO?**

**VOCÊ PRECISA ELIMINAR DA SUA VIDA A COVARDIA, A DESCONFIANÇA, O DESCRÉDITO, A DESCRENÇA, A DÚVIDA E A INCERTEZA.**

Portanto, a Fé é uma das respostas para viver no fluxo natural da prosperidade, deixando o rio fluir a partir de você.

É necessário compreender isso para atingir o próximo nível de entendimento natural que o Criador nos deu.

## TAREFA

1) Assim como a natureza permite realizar análises da quantidade e qualidade dos nutrientes que possui para detectar suas deficiências, peço que você faça uma autoanálise e identifique o quanto de fé tem faltado para que você prospere e flua de forma natural?

2) Quais nutrientes você precisa repor em seu solo e começar a semear hoje em outras pessoas para ter melhores colheitas?

# Fazer gestão da própria vida é não perder tempo gerenciando a vida dos outros.

CAPÍTULO 07

# GERENCIE SUA VIDA

### Quem está no controle?

Talvez esse seja o conteúdo mais denso a ser aprendido neste livro, mas lhe garanto que será também um dos mais importantes. Avaliar quem você é e a realidade de como está a sua vida. Para a maioria das pessoas, é um processo muito difícil, pois existe a tendência da autocrítica, arrependimento, decepção, negação ou apenas uma espera que nunca nada está bom ou suficiente.

## DEIXAR DE SE CONECTAR COM A REALIDADE E COM O AGORA É A MAIOR DESCULPA QUE VOCÊ TEM PARA CONTINUAR VIVENDO UMA VIDA INÚTIL.

Mesmo que sua situação seja terrível, negar a realidade atual não fará ela desaparecer!

## POR MAIS DIFÍCIL QUE PAREÇA E VOCÊ TENHA INCANSÁVEIS JUSTIFICATIVAS PARA NÃO SAIR DO LUGAR, LEMBRE-SE QUE CUSTARÁ MUITO CARO AO PLANETA SE VOCÊ CONTINUAR A VIVER ESSA VIDA MEDÍOCRE.

Encarar essa realidade não será uma tarefa fácil, mas o primeiro passo para transformar a sua vida é reconhecer como as coisas realmente estão.

## ADMITIR AS SUAS FRAGILIDADES É O COMEÇO DA CRIAÇÃO DE NOVOS CAMINHOS.

Se você faz parte do grupo de pessoas que não assumem o risco de ditar as regras do seu futuro, sabe aqueles com síndrome de "*Deixa a vida me levar*", como na letra da música do Zeca Pagodinho, você estará desperdiçando todas as oportunidades de tudo aquilo que realmente você nasceu para ser.

## LEMBRE-SE DE QUE VOCÊ NÃO PODE CONSERTAR NADA ATÉ ADMITIR QUE HÁ UM PROBLEMA.

Tente ver seus erros não como falhas, mas como oportunidades e aprendizados. Possuir toda essa experiência vai ensiná-lo a fazer melhor e, na próxima vez, você enxergará o fracasso como uma escada para subir.

## TRANSFORMAR A SUA VIDA REQUER DEDICAÇÃO DE UMA ÚNICA PESSOA: VOCÊ MESMO(A)!

Decida o que é importante para você. Isso o ajudará a escolher seus sonhos com sabedoria e depois alcançá-los. Gerenciar sua vida é uma maneira de percorrer o caminho e ganhar as recompensas, mas é preciso ação, ação e ação.

## TOMAR ATITUDES E TRANSFORMAR OS HÁBITOS TE LEVARÃO MAIS LONGE E FARÃO DE VOCÊ UMA PESSOA MUITO MELHOR.

Pare de gastar sua vida querendo salvar o mundo, ninguém te chamou para isso e esse não é o seu chamado. Você apenas precisa resolver os seus problemas.

Não tenha apego na vida que pensa que deveria ter, não se compare com ninguém, mas crie a realidade que você quer viver.

Estar na gerência da própria vida é construir os degraus de autoconfiança, autonomia e de autorresponsabilidade. E porque eu sou uma pessoa bem resolvida, resolvi ajudar você!

Sou um mentor ativacional e o meu propósito de vida é fazer você sair da zona de conforto, aparentemente agradável, mas completamente destrutiva e eu chamo isso de zona de merda. Você precisa dar o primeiro passo, não existe uma fórmula mágica, esse passo será importante para começar romper os bloqueios.

Contudo, se a sua tendência for se lamentar, reclamar, culpar a Deus ou depositar o seu insucesso em outra pessoa, você está fazendo a pior coisa que poderia fazer em sua vida. Prepare-se para ler essas verdades, pois são esses pensamentos e comportamentos que podem te levar para o fundo do poço.

## DEUS NÃO ESTÁ NO CONTROLE DA SUA VIDA. SE ELE ESTIVESSE NO CONTROLE, VOCÊ NÃO PRECISARIA FAZER ABSOLUTAMENTE NADA, PORQUE ELE É PERFEITO E, SE ELE ESTIVESSE NO CONTROLE DA SUA VIDA, ELA SERIA PERFEITA!

Espero que você realmente tome uma atitude e comece a produzir sua própria história em tempo real, **hoje e agora**, sem viver no passado ou imaginar um futuro ainda inexistente.

Quem vive no passado sofre com depressão (pressão interna menor que pressão externa) e quem vive no futuro cria um estado de ansiedade e "preocupação" antecipada.

## NÃO TENTE FICAR LIMITANDO SUAS CONQUISTAS DIÁRIAS, VIVER O AGORA É FUNDAMENTAL PARA DAR PROJEÇÃO E FORMA AO FUTURO QUE TANTO ESPERA.

Quando eu falo de Deus, algumas pessoas ficam abismadas, pela intimidade que eu tenho com Ele. Somos amigos e Ele me ouve. É com muita propriedade que te digo que Ele não faz gestão da vida de ninguém.

Ele já te deu tudo, te deu a terra, te deu vida e agora você precisa assumir o controle e dominar sobre todas as coisas.

No jardim do Éden, tudo foi feito do jeito Dele, no estilo Dele e Ele deixou tudo pronto para que o homem curtisse a vida "adoidado". Ainda no final do dia, Ele voltava para ter relacionamento e trocar uma ideia. Com a saída de Adão e Eva do jardim, o próprio homem resolveu que cuidaria da vida sozinho e, por esse motivo, desde a queda de Adão, você tem que se virar na terra. Deus falou para o próprio filho que Ele precisava passar pela cruz para pagar as "tretas" que foram causadas por Adão.

Tire alguns minutos e responda essa pergunta a você mesmo(a): O que você está fazendo da sua vida? Compreenda isso rapidamente e comece a gerenciar esse processo.

## FAZER GESTÃO DA PRÓPRIA VIDA É NÃO PERDER TEMPO GERENCIANDO A VIDA DOS OUTROS. GASTE O SEU PRECIOSO TEMPO RESOLVENDO PRIMEIRO OS SEUS PROBLEMAS!

Vou te ensinar algo para transformar sua mentalidade de uma vez por todas. A Ordem correta é: Deus – Você – E os outros!

Lógico que Deus está em primeiro lugar da lista, pois devemos amá-lo acima de todas as coisas como nos orienta a Bíblia em Mateus 22: "Amarás, pois, o Senhor, teu Deus, de todo o teu coração, de toda a tua alma e de toda a tua força".

O relacionamento com Deus não é apenas uma categoria de "espiritualidade". O Criador é a fonte da nossa existência e a própria essência da vida está em nosso relacionamento com Ele. A segunda parte deste versículo é: **"Amarás o teu próximo como a ti mesmo".**

## ALGUMAS PESSOAS SE CONFUNDEM ACHANDO QUE ISSO SIGNIFICA ATENDER OS OUTROS COMO PRIORIDADE, MAS NÃO EXISTE AMAR O PRÓXIMO SE VOCÊ AINDA NÃO SE AMA. PRIMEIRAMENTE, VOCÊ SE ENCHE DE AMOR E, DEPOIS, TRANSBORDA NA VIDA DOS OUTROS.

Para que esse versículo seja verdade em sua vida, você precisa estar no segundo lugar dessa lista! Eu te entendo porque até ontem você apenas cuidou da vida dos outros e, se eu pedir para você cuidar da sua vida, você nem saberá como fazer isso.

Um exemplo clássico para ilustrar como precisamos cuidar de nós antes dos outros é que, em voos de avião, após todos os passageiros se sentarem, os agentes de bordo se posicionam estrategicamente de pé e demonstram, através de gestos, os procedimentos de segurança a serem tomados em caso de emergências.

Ao fundo, uma gravação padrão das companhias aéreas narra o texto: "Em caso de despressurização, máscaras individuais de oxigênio cairão automaticamente. Puxe uma delas para liberar o fluxo, coloque sobre o nariz e a boca, ajuste o elástico e respire normalmente, auxilie crianças ou pessoas com dificuldade SOMENTE após ter fixado a sua".

## PARE DE COLOCAR OUTRAS PESSOAS NA SUA FRENTE, SEJA PRIORIDADE! SE VOCÊ NÃO CUIDAR DE VOCÊ PRIMEIRO, NUNCA SERÁ POSSÍVEL GERAR UM TRANSBORDO NA VIDA DE OUTRAS PESSOAS.

Acredito que poderá fazer muito mais pelos outros quando descobrir o quanto você ainda está negligenciando o amor por si mesmo!

## PARE DE QUERER RESOLVER TODAS AS "TRETAS" DO UNIVERSO, VOCÊ NÃO É RESPONSÁVEL POR SALVAR O MUNDO.

Você não precisa ficar no telefone por três horas ouvindo sua amiga reclamar dos problemas dela, enquanto ainda tiver os seus problemas para resolver. Você não precisa perder o sono para poder buscar seu irmão no aeroporto, quando ele poderia facilmente chamar um motorista pelo aplicativo.

Você pode ser uma pessoa gentil sem ser uma pessoa que se sacrifica. Pode ser um bom amigo sem se inclinar para trás e sem precisar quebrar os ossos. Você pode estar lá para outras pessoas sem se negligenciar.

Você pode ajudá-los sem se machucar. Você pode abandonar a velha realidade e ser capaz de criar uma vida melhor para você somente se aprender a gerenciar a sua vida. Por favor, comece isso hoje!

## TAREFA

1) É fácil olhar no espelho e apontar todas as suas inseguranças. Contudo, para encarar sua realidade, é melhor começar contando todos os aspectos positivos. Primeiro faça uma lista dos seus pontos fortes, das coisas em que você é bom, dos valores que possui e das realizações que alcançou. Contar suas competências ajudará você a perceber seus pontos fortes e melhorar suas atitudes em relação a si mesmo.

2) Escreva as etapas que serão seguidas e gerenciadas para criar uma nova realidade em sua vida. Divida seu objetivo em pequenos passos, aqueles que você pode realizar um de cada vez e aumentar a sua confiança na medida em que avança. Sua nova realidade começará a acontecer, quando tiver um plano com objetivos específicos.

# 98% da população vive completamente alienada e dominada por 2% pensantes que comandam a terra.

## CAPÍTULO 08

# HIPNÓTICO

## O ritmo da humanidade

Com certeza, milhares de pessoas estão vivendo em ritmo hipnótico, embora muitos nem se dão conta disso. Para exemplificar, farei uma analogia. Quero que você imagine como funciona o processo de aprender a dirigir um carro. O primeiro passo é conhecer o carro e suas competências – vamos chamar esse processo de "desconhecido inconsciente"; o próximo passo é reconhecer as suas funções – chamo a isso de "conhecido inconsciente".

Aprender a dirigir com o instrutor parece tarefa fácil, porém precisa pensar muito sobre como fazer isso. Gastar energia pensando em todo o processo para sair com o carro se chama "competente consciente".

Depois desse processo sofrido, você finalmente atinge o modo de "competente inconsciente", e isso significa que já possui habilidades suficientes para dirigir o carro perfeitamente sem precisar pensar nas instruções recebidas, elas já estão todas armazenadas no seu inconsciente.

Agora, você já está livre para focar em fazer outras coisas ao mesmo tempo em que estiver dirigindo, por exemplo: conversar com o amigo ao lado, prestar atenção nos outdoors e se concentrar nas direções de um aplicativo.

Se você ficar sem dirigir por uns dez anos mesmo assim, quando precisar dirigir, terá sucesso, porque todas as informações estarão ali no seu inconsciente, basta acessá-las.

Esse processo é o mesmo para tudo o que você for aprender. Tal repetição é capaz de criar seus hábitos e, quanto mais repetir os mesmos comandos, mais isso se tornará de maneira automática, rítmica e hipnótica.

**A LEI DO RITMO HIPNÓTICO NADA MAIS É QUE A FIXAÇÃO DO HÁBITO E O SEU ÚLTIMO ESTÁGIO. ASSIM, QUALQUER**

## PENSAMENTO OU MOVIMENTO FÍSICO (BOM OU MAU), QUE SEJA REPETIDO MAIS DE UMA VEZ, AUTOMATICAMENTE TORNA-SE RITMO HIPNÓTICO.

Este conceito ficou muito conhecido através de Napoleon Hill, em seu livro "*Mais esperto que o diabo*" (CDG Editora), escrito em 1938 em meio a uma das piores crises dos Estados Unidos. Neste livro, o autor fala sobre o mau uso da mente e sobre o não aproveitamento de todo o potencial cerebral. O livro que não tem nenhuma ligação à religião como o nome sugere, mostra uma pessoa alienada que vive nesse ritmo hipnótico sem assumir o comando da própria vida, pois é muito preguiçosa para usar o seu cérebro.

Dessa forma, Napoleon conclui que alienado é todo aquele que se deixa ser guiado e controlado por circunstâncias externas à sua mente.

Se a sua vida é conduzida pela rotina de contas, boletos, dificuldades, fracassos e medos, certamente, todos esses pensamentos negativos te arrastam para um ritmo frenético, acelerado e que passa por lugares lindos e nem se quer aprecia o caminho, as flores, o sol e os pássaros. Enfim, negligencia a tudo e a todos, mas o que esperar de você, já que não consegue nem se perceber?!

Na maioria das vezes, você é conduzido por uma programação mental hipnótica, acelerando tudo para dar conta de todas as tarefas, tendo a impressão que o dia está cada vez mais curto e precisará de horas extras para dar conta de tudo.

Isso acontece com a maioria das pessoas – dados mostram que 98% da população vive assim, completamente alienada e dominada por 2% de pensantes que comandam toda a terra.

Após me mudar para São Paulo, fui comprar uma bicicleta e voltei pedalando para casa cerca de mais ou menos 10 quilômetros. Foi uma experiência fora da minha rotina e essa mudança no trajeto me mostrou caminhos exóticos, rotas alternativas e inexploradas.

Depois de observar esse ritmo hipnotizante acelerado, encontrei minha equipe de trabalho e compartilhei com eles a experiência do quanto é importante ter total consciência daquilo que pensamos.

## COISAS SIMPLES COMO UM CAMINHO DE VOLTA PARA CASA, O IMPACTO QUE CAUSAMOS NAS PESSOAS QUANDO A CUMPRIMENTAMOS, PERCEBER UM IDOSO QUE NECESSITA DE AJUDA, UM PÁSSARO NA CALÇADA E ATÉ MESMO UMA BORBOLETA INUSITADA FAZEM A NOSSA VIDA MUITO MAIS INTERESSANTE.

Uma das coisas que gosto de perguntar aos meus alunos para sentir o nível de automatização deles é: "Você come todos os dias a mesma coisa?"; "Você sempre faz o mesmo caminho para o trabalho, para casa ou escola?"; e "O que você tem feito de novo?". Os seres humanos se tornam cada dia mais automatizados e mecanicamente programados exatamente como no filme do Charles Chaplin, em "*Tempos Modernos*".

Vivemos em uma geração de "fazedores de coisas" em modo automático, onde tudo o que eles aprenderam a fazer estão baseados em crenças geracionais e experiências passadas.

## PROGRAMAR A VIDA COM UM CONTROLE AUTOMÁTICO É EXTREMAMENTE PERIGOSO.

Atualmente, temos mais drivers automatizados do que quando abríamos cadeados. Quando eu falo em abrir cadeado, é abrir a mente para novas experiências.

Você deve lembrar que, para abrir o portão de uma casa há 20 anos, tinha um molho gigantesco com inúmeras chaves, você era dessa época? Era uma tarefa enorme, procurar e encontrar a chave correta, pois demorava, mas não era um fardo, era uma busca diária. E o que eu quero dizer com isso é que essa automação está conseguindo robotizar o ser humano.

Em algumas vezes, entramos nesse ritmo e criamos uma falta de conectividade com a vida, com a sociedade e com os filhos, deixando de ouvir até o Espírito Santo, e vamos mergulhando na "falta de consciência".

Infelizmente, fomos todos ensinados a viver presos, limitados e moldados por padrões preestabelecidos, sem pensar racionalmente no preço pago por Jesus na cruz pela nossa liberdade.

Contudo, aproveite quando aparecer em sua vida pessoas que falam do amor de Cristo para que lembre que não é preciso viver a vida que te foi imposta pela revolução industrial e que você pode ser melhor do que isso.

## VOCÊ PODE SER PLENAMENTE FELIZ, QUANDO VOCÊ DOMINAR SUAS EMOÇÕES E TER UMA VIDA ATIVA ATRAVÉS DA INTENCIONALIDADE, POIS O SEU CÉREBRO ABANDONARÁ O MODO AUTOMÁTICO.

O significado da palavra *hipnose* no dicionário é "*sonolência*". Quem vive em sonolência não acorda para viver uma vida de transbordo, vive numa frequência de sono e deixa de aproveitar a vida que já foi preparada por Deus.

## DECIDA HOJE FAZER COISAS PARA SAIR DESSE PROCESSO AUTOMÁTICO. A MELHOR FORMA DE SAIR DESSE RITMO É EXPANDIR A SUA MENTE FAZENDO PERGUNTAS.

## DECIDIR SERÁ SEMPRE MATAR UMA DAS OPÇÕES DISPONÍVEIS E TRILHAR O CAMINHO ESCOLHIDO. COM ISSO, VOCÊ DESCOBRIRÁ NOVAS ROTAS, NOVAS PESSOAS, NOVAS IDEIAS E NOVAS EXPERIÊNCIAS. LOGO, VOCÊ TERÁ NOVAS TAREFAS.

Ao perceber uma frequência de ações automáticas, saia desse modo imediatamente e crie estratégias para isso. Um exemplo que eu posso te dar é: use uma pulseira de borracha, aquelas amarelinhas, que espero que você esteja usando para fazer montes do seu dinheiro e, quando perceber seu cérebro com preguiça ou falta de produtividade, estique a pulseira e solte-a.

Prepare-se porque irá doer... HaHaHa, essa é uma estratégia para fixar e ancorar uma espécie de punição por falta de produtividade, e o seu cérebro ficará caçando coisas para fazer o tempo todo, evitando, assim, passar novamente pelo trauma da punição. Não se preocupe: é apenas um treino para o seu cérebro, nem se trata de uma grande dor.

Após entender o quanto é prejudicial viver em ritmo hipnótico e eu já ter te dado ferramentas para que seu cérebro não fique em sonolência total, espero que você não seja mais um manipulado e se torne livre e domine a sua mente e faça suas escolhas.

## TAREFA

1) Escreva como você sairá do modo automático (ritmo hipnótico) e passará a viver uma vida livre.

2) Compartilhe e transborde na vida de 3 pessoas do seu convívio que precisam sair deste estado hipnótico.

Quando você conseguir identificar e governar suas emoções, você será capaz de mover as suas decisões para onde quiser.

CAPÍTULO 09

# INTERPRETAR

### Como viver uma vida intencional?

Neste capítulo, quero que você se imagine entrando em um clube de tiro, aqueles que assistimos em filmes policiais, onde você passa por uma portaria, preenche seu cadastro, deixa seus dados e escolhe sua arma e munições. Logo em seguida, você vai diretamente a um local onde há vários alvos que precisam ser identificados e atingidos.

**QUERO LEVAR VOCÊ A ESSA VIAGEM COMIGO, ONDE IREI FAZER UMA ANALOGIA ENTRE O CLUBE DE TIRO E O MODO DE VOCÊ IDENTIFICAR SEUS SENTIMENTOS.**

A principal ideia de um clube de tiro é propagar a prática como um esporte, e ele pode ser praticado por qualquer um que tenha o interesse e ética dentro dos parâmetros exigidos por lei.

Os clubes de tiro são escolas ou academias que têm o objetivo de aperfeiçoar os profissionais e praticantes do esporte, criando um ambiente ótimo para desenvolver reflexos, habilidades analíticas, olhar critico, desenvolvimento físico e também ótimas amizades.

Coincidentemente, ao interpretar as emoções, você terá maior consciência e discernimento das intenções em seus comportamentos. Isso contribui significativamente com a sua felicidade, sucesso e bem-estar de todos que os rodeiam.

Da mesma forma que o clube de tiro faz, minha intenção é ensinar você a maneira responsável de fazer uma viagem para dentro de si, reconhecendo seus alvos. Quero dizer que da mesma maneira que você pega a arma e mira o alvo direcionando o projétil para onde quiser, assim são as suas emoções que funcionam como uma bússola.

**QUANDO VOCÊ CONSEGUIR IDENTIFICAR E GOVERNAR SUAS EMOÇÕES, VOCÊ SERÁ CAPAZ DE MOVER AS SUAS DECISÕES PARA ONDE QUISER.**

## EM TODOS OS MOMENTOS, FAZEMOS ESCOLHAS DE COMO IREMOS NOS COMPORTAR E O QUE ESTAREMOS EXPRESSANDO PARA O MUNDO. ESSAS ESCOLHAS E COMPORTAMENTOS SÃO O QUE AFETAM AS PESSOAS E AS SUAS ATITUDES.

Todas as emoções classificadas como básicas pelo estudioso Eric Berne podem ser vividas com maior ou menor intensidade. Tanto a escassez quanto o excesso dessas emoções significam que algo precisa ser trabalhado em seu interior.

Todo mundo sentirá raiva, mas as pessoas que vivem constantemente com raiva mostram que precisam tratar algo dentro delas, desde uma carga emocional até seu efeito no corpo.

Vou te ensinar a identificar os três tempos das emoções, e tudo ficará mais claro. Logo, você terá condições de agir com maior intencionalidade:

- o sentir é um processo intrapsíquico em que já nascemos programados;
- o expressar que é traduzir as emoções em palavras;
- o atuar está relacionado às emoções sentidas que manifestam na linguagem corporal.

Diante de estímulos, nosso corpo reage com uma das cinco reações básicas, que, segundo Erick Berne, se manifestam como: raiva, medo, tristeza, alegria e afeto.

### 1. A Raiva

É um estado da emoção que leva o indivíduo a agir de forma violenta em ataques ou em sua própria defesa, quando ocorre alguma ameaça. A raiva se manifesta na forma de revolta, agressividade, decepção, frustração, indignação, hostilidade e ciúmes. O domínio próprio é fundamental para que a progressão dos estágios não aconteçam.

### 2. O Medo

Algumas pessoas pensam que o medo é uma emoção positiva, pois expressa um determinado limite de segurança na preservação da vida, mas é totalmente negativa, pois aprisiona as ideias e a realização de objetivos. Como a Bíblia mesmo nos orienta em 2 Timóteo 1:7:

"Pois Deus não nos deu espírito de covardia, mas de poder, de amor e de equilíbrio."

O medo pode se manifestar na forma de timidez, constrangimento, vergonha, ansiedade e desconfiança. Perceba que a falta de resultados está relacionada ao medo. Em meu livro "*Antimedo*", aprofundo mais sobre como você pode mudar esse drive e como tirar proveito dessa energia.

### 3. A Tristeza

A tristeza é o oposto da alegria. Um período longo de tristeza pode levar à depressão. A tristeza sinaliza que algo precisa ser cuidado e que existem feridas que precisam ser tratadas. A tristeza se apresenta na forma de depressão, rejeição, retração, nostalgia e desespero. A tristeza tem que ser algo transitório em sua vida.

### 4. A Alegria

Alegria é o prazer de desfrutar do hoje e o agora. Os impulsos gerados pela alegria exalam a energia de uma pessoa apresentando, na forma de alívio, animação, interesse, euforia e satisfação.

### 5. O Afeto

O afeto é uma emoção de relações amorosas e fraternas. Essa emoção engrandece a alma e está diretamente relacionada ao carinho e bem-estar. O afeto se apresenta na forma de solidariedade, comoção, esperança, amor, paixão e curiosidade.

Em seus momentos de raivas, medos, tristezas, alegrias e afetos, você poderá usar uma analogia que uso como o sinal de uma arminha com a mão (dobrando os dedos mínimo, o vizinho e o pai de todos). Aponte o polegar para você e o indicador para cima e depois, com um movimento de esticar o braço, aponte para frente para mirar o alvo.

## QUERO DIZER COM ISSO QUE VOCÊ TEM PRIMEIRAMENTE QUE FAZER PERGUNTAS PARA VOCÊ. DEPOIS PARA DEUS E, POR ÚLTIMO, PARA OS OUTROS.

Dessa maneira, você identificará suas emoções dentro das cinco opções que já te expliquei acima e conseguirá eliminar as emoções que não dizem respeito ao fato.

Você pode estar se perguntando o porquê deste capítulo está se referindo a tantas armas, explosões, tiros, alvos. E eu te respondo que quero que ele caia como uma bomba em seu interior, matando toda a possibilidade de você continuar sendo um ignorante em suas emoções. Por não saber identificar seus sentimentos e por estar fugindo deste aprendizado, é que se tornou um surdo diante da sua voz interior.

Voltamos ao clube de tiro e peço que imagine, neste momento, os cinco alvos pendurados que iremos chamar de "alvo comportamental", onde cada um deles representará uma reação diferente a um evento, problema ou pessoa.

O objetivo é aprimorar a percepção de seus comportamentos, cultivar a capacidade de trocar de alvo e passar de uma reação ou comportamento negativo para outro mais produtivo. Isso aqui será uma chave poderosa para você usar.

Vamos dar uma olhada nos cinco alvos e ver como você pode aplicá-los:

• **O alvo Vermelho é o ataque** – associado ao julgamento, o que poderia ser bom e natural acaba se associando aos comportamentos desagradáveis. Quanto mais julga as pessoas, menos tempo tem para amá-las.

- **O alvo Amarelo é a dúvida** – representa os sentimentos de vulnerabilidade, o desejo de nos proteger e também de nos julgar sem piedade. Aqui, você banca a vítima e fica mobilizado pelos sentimentos de fracasso e rejeição.

- **O alvo Verde é a pausa** – aqui você é o observador, curioso, atento e vigilante. Você está constantemente refletindo sobre o que pensa e o que os outros estão pensando.

- **O alvo Azul é a detecção de quem somos e o que queremos** – conhecer a si mesmo é o começo de toda transformação.

- **O alvo Roxo é a conexão** – aqui você deixa o ego, ouve as pessoas e se coloca no lugar delas. Abraham Lincoln disse uma vez: "Eu não gosto desse homem, então preciso conhecê-lo melhor". No alvo roxo, você abandonará o julgamento, ficará tolerante e apreciará a diversidade.

Você pode estar se perguntando o que farei com esses alvos ou como vou eliminá-los?

Eu começo dizendo que agora é com você! Identifique suas emoções. Sabe aquele momento quando estiver dentro do olho do furacão? É nessa hora que precisará escolher eliminar os alvos que não correspondem com a sua decisão de como agir. No entanto, como eu faço isso, Titi? A seguir, vai o passo a passo.

1º Dê sempre nome às suas emoções. Identifique o alvo que demonstra o seu sentimento.

2º Decida eliminar os 4 alvos que não estão de acordo com a reação que será tomada. Qual a decisão que você tomará a partir desse sentimento?

3º Após encontrar o seu alvo, aja intencionalmente. Essa intencionalidade depende do resultado que você deseja obter. Você tem poder de mudar destinos!

Espero ter conseguido de uma forma prática te levar a um

clube de tiros e te oferecer ferramentas para reconhecer suas emoções e sentimentos. E de maneira consciente escolher qual das reações você tomará para viver de uma maneira intencional.

## TAREFA

1) Utilize o espaço abaixo para contar um pouco sobre as suas emoções e como você tem lidado com elas.

\
\
\
\
\
\
\
\
\
\

2) Diante de um problema, pessoa ou evento precisamos tomar decisões. Volte a lista dos alvos comportamentais (reações) e relate para alguém o que você aprendeu. De preferência, cite um exemplo que te causou uma reação prejudicial.

\
\
\
\
\
\
\
\

# Você tem sido a jaula que tem aprisionado as pessoas?

## CAPÍTULO 10

# JULGAMENTOS

## Você é o Justo ou o Juiz?

No dia 28 de setembro de 2019, uma mulher invadiu um zoológico de Nova York. Imagino eu que esta cena, embora tenha deixado alguns visitantes bem aflitos, existiram outros que acharam ridículo ela ter ficado dançando na frente do leão. Sobre a moça, eu não sei descrever sua intenção, se foi corajosa ou sem noção, mas certamente o leão não estava com fome, pois, caso contrário, seu instinto de caça poderia ser letal.

Porta-vozes do Zoológico de Bronx, em Nova York (EUA), disseram em comunicado que a equipe recebeu um aviso que alguém havia ultrapassado o limite de segurança do viveiro dos leões: "Barreiras e regras existem para manter seguros tanto visitantes quanto funcionários e animais. Temos uma política de tolerância zero para transgressão e violação dos cercados", escreveram. E a rede de TV norte-americana CBS informou que a polícia buscou identificar a mulher e o caso foi levado à justiça.

Alguns de vocês ao ler o relato acima pode ter se identificado com um ou mais dos personagens desta história, pois havia uma jaula, juízes, um julgamento e os justos.

No momento da leitura, creio que você tenha pensando algumas coisas do tipo: "Que mulher doida"; "Que mulher corajosa"; "Para que uma jaula, se na África os leões ficam soltos?"; "Essa mulher precisa ser presa para não virar bagunça"; "Cadê os administradores do zoológico que apenas apareceram depois"; "Quanta bobeira perder tempo com uma notícia dessa"... Enfim, ficaria horas escrevendo frases que você possa ter pensado ao ler esta notícia, sem contar as expressões faciais de risos, espantos e até medo.

A exemplo deste episódio, quero te dizer que o Criador lhe fez para você ser livre, e essa liberdade lhe dá o direito de ser tudo o que Ele te criou para ser. A palavra *Libertas* foi que originou a palavra *Liberdade*, que, no latim, significa independência, que também está relacionada a liberdade política.

Então, identifique em qual personagem você se vê no relato acima. Você tem sido a Jaula, que tem aprisionado as pessoas? Ou tem sido uma pessoa que, cansada, resolve dar um basta e toma uma atitude impensada? Você tem sido os juízes que sentenciam e punem todos que cometem deslizes? Tem feito julgamentos quando uma pessoa não se enquadra no seu padrão de atitude e comportamentos? Ou você gosta de estar cercado de alienados, para poder manipular e se sentir superior? Você é uma pessoa que vive em liberdade através de princípios?

Pare e analise quais são os grilhões que ainda te prendem e quais as palavras que você ouviu que lhe fizeram ser um humano alienado. Os grilhões são correntes que te aprisionam e te impedem de ser livre, podem ser representados por: seu passado; futuro; pessoas que você não consegue deixar para trás; palavras que dominam suas atitudes; falta de perdão; falta de sonhos e projetos; medo; insegurança; programas de TV; mídias sociais; fofocas; e, principalmente, falta de identidade e propósito.

Neste momento, eu peço que você faça uma viagem para dentro de si, fazendo uma autoanálise e comece a identificar se realmente é uma pessoa livre ou se ainda é um alienado como o leão que estava dentro da jaula.

Para clarificar seu entendimento, vou citar aqui algumas características do leão: é um animal carnívoro, sendo o único felino que vive em bandos; a juba é um acessório de proteção, importante nas lutas entre machos; tem a capacidade de alcançar 50 km/h ao correr; o olfato, a visão e a audição apurados fazem deste animal um excelente caçador e protetor de território.

Existem outras características desse felino que eu poderia descrever aqui, porém acredito que, com essas informações, você já consiga entender e se questionar como que um animal de tamanha força pode se comportar com tanta fragilidade, ao ponto de ficar paralisado como um alienado, vendo uma mulher indefesa dançando em sua frente.

Se você, neste momento, se identifica com o leão, vou te ensinar a se libertar dessa jaula. A principio esse ensinamento pode dar a sensação de frieza e egoísmo, porém, ao contrário disso, ela te conduzirá a desenvolver um valor interno que todos precisam aprender.

## LIBERTAR-SE NÃO SIGNIFICA ABRIR MÃO DO QUE É PRIMORDIAL OU ROMPER VÍNCULOS AFETIVOS, MAS, SIM, EXPRESSAR A QUALIDADE DE AMAR, APRECIAR E SE ENVOLVER EM RELACIONAMENTOS COM UMA VISÃO BALANCEADA E SAUDÁVEL, LIBERTANDO TODOS OS EXCESSOS QUE TE PRENDEM.

A libertação emocional te proporciona viver, crescer, transbordar e transformar sem deixar que ninguém te limite.

## APRENDA DEFINITIVAMENTE QUE A VIDA É SUA E NINGUÉM VAI VIVER POR VOCÊ E MUITO MENOS SENTIR AS SUAS DORES.

Dificilmente os outros suprirão todas as suas necessidades, sendo assim a sua felicidade nunca poderá ser resultado do que os outros te oferecem. **Deixe que cada um cuide da sua vida, e principalmente, que você seja o maior interessado em cuidar da sua!**

Não confunda o domínio próprio com o "domine o próximo", não pegue as rédeas da vida dos outros! Entenda que você é livre e as pessoas não podem colocar rédeas em você e nem lhe impor os seus valores.

Devemos compreender que nada neste mundo dura para sempre, nem pessoas, nem relacionamentos ou bens materiais. De uma hora para outra, tudo pode mudar. E mudanças podem ser necessárias e naturais.

Aprenda a aceitar essas situações com tranquilidade e coragem para passar por esses processos.

## EMPENHE-SE EM PLANTAR BOAS SEMENTES NO CULTIVO DE SUA PRÓPRIA FELICIDADE.

Seja responsável, maduro, consciente de que suas escolhas geram consequências, cada um tem a vida que merece!

É essencial "libertar-se" da vida mediana e sair dos limites impostos para viver o inesperado, o extraordinário, como um leão em liberdade.

### TAREFA

1) Se você ainda não está se vendo como um leão livre, quais serão as ações que você produzirá para alcançar este nível?

_____

_____

_____

_____

_____

_____

_____

2) Existe alguém em seus relacionamentos (conjugal, familiar e amizades) que você precisa deixar de usar o "domine o próximo"?

_____

_____

_____

_____

_____

_____

_____

# Questione-se e aprenda a falar com você mesmo(a) sem ter que dizer uma só palavra.

## CAPÍTULO 11

# KAMIKAZE

## Autossabotagem

O valor da vida tem sido cada vez mais banalizado. Pense quantos jovens foram levados a tirarem a própria vida por um desafio chamado "Baleia Azul". Onde estava a consciência desses jovens? Que amor eles tinham por Deus, por si próprios e pelos pais?

O termo *Kamikaze* é dado a quem se arrisca a ponto de cometer loucuras, pois a origem da palavra veio por meio dos pilotos de aviões japoneses que se apresentavam como bombas humanas na Segunda Guerra Mundial. Essas pessoas não tinham medo da autodestruição.

**AO PASSAR POR SITUAÇÕES E EXPERIÊNCIAS QUE FOGEM DO CONTROLE, É PRECISO ATIVAR A INTELIGÊNCIA EMOCIONAL PARA SABER DRIBLAR AS EMOÇÕES E RETOMAR O COMANDO DAS SUAS AÇÕES SEM DEIXAR O DESESPERO TOMAR CONTA.**

Tenho visto que a depressão tem sido uma das maiores vilãs da alma e é, sem dúvida, o tema que mais me chama a atenção, quando estou interagindo nas redes sociais. Inúmeras pessoas estão desistindo de suas vidas por não conseguirem lidar com seus problemas. Isso é terrível!

**AS PESSOAS TRANSFORMAM A DOR MOMENTÂNEA EM ALGO MUITO MAIOR DO QUE ELAS REALMENTE SÃO.**

Fico perplexo com a possibilidade de saber que uma pessoa tenha coragem de tirar a própria vida. Na verdade, ela não quer morrer, e sim apenas encontrou uma maneira mais rápida de se livrar da dor. O problema é que ela mal sabe que, agindo assim, vai eternizá-la. Acredito muito na Medicina, mas a força que existe dentro de cada um, quando for descoberta, na maioria das vezes, é suficiente para transformar qualquer situação.

Meu sentimento aqui é de compaixão, pois não sei o que é tristeza, eu durmo sorrindo e acordo todos os dias sorrindo. Eu decido registrar esse código no cérebro, faço isso de maneira muito intencional ao me deitar e naturalmente essa é a primeira mensagem que ele emite quando acordo.

## E PARA VOCÊ, QUAL É O SENTIDO DA SUA VIDA? VOCÊ JÁ OUVIU A EXPRESSÃO: "É NO MEIO DA CRISE QUE GRANDES IDEIAS SURGEM"?

## ENTÃO, COMECE A FAZER COISAS QUE REALMENTE TE DÃO PRAZER E TE FAZEM SE SENTIR IMPORTANTE.

Provavelmente, em algum momento da sua vida, você conheceu alguém que sofreu uma "pane" na mente, onde a janela de fuga se abriu e deu início ao processo de depressão. Essas janelas são drivers de experiências que o nosso cérebro vai arquivando milhares de informações. Somos um drive gigante ambulante.

Vou te mostrar alguns tipos de janelas bloqueadoras:

- Janelas de pânico e da fobia social.
- Janelas fixas TOC (transtorno obsessivo compulsivo).
- Janelas de ansiedades (que geram os pensamentos sobre o amanhã).
- Janelas da autoestima baixa e da timidez e preocupações excessivas com a opinião dos outros. Por isso, bato tanto na tecla: VÁ CUIDAR DA SUA VIDA!

Damos o nome de "janela" a uma determinada zona de conflito no cérebro, que, por pressão emocional, é aberta, podendo ser a expressão de alguns sentimentos como: raiva, ira, ódio e vergonha.

Existem inúmeras janelas que podem ser sabotadoras da vida, fique atento(a) e não deixe que elas se abram. Em minhas palestras, falo das bagagens que vamos pegando no decorrer da vida, e elas são como um dispositivo interno de reações. Para que você entenda melhor, quero que pense em nossas reações baseadas na disposição de uma calculadora.

Imagine agora situações do seu dia a dia e pense nos números desta calculadora como teclas para acionar suas reações. Vamos lá: você está atrasado(a) e dirigindo rápido para chegar ao médico, de repente, foi fechado(a) no trânsito, sendo obrigado(a) a frear rapidamente, recebendo buzinas e xingamentos de outro motorista. Neste contexto, se a sua reação foi uma careta, na calculadora mental, ela será representada pela tecla de valor 5. No entanto, se você devolveu o xingamento significa que acionou a tecla 10. Se você resolveu fugir foi porque sua tecla de valor 15 foi pressionada. Já ao sair do carro e partir para cima com agressão física, é a representação de acionar a tecla com valor 25. Se teve um desmaio, acionou a tecla 50 com um blackout cerebral. Por fim, se perdeu a racionalidade e agrediu ao ponto de matar o ofensor significa que apertou a tecla 70. E o último estágio é o de tirar a própria vida com o acionamento da tecla 100.

## PERCEBA OS FATOS, RESPIRE E DECIDA NÃO SOFRER AS CONSEQUÊNCIAS DOS SEUS ATAQUES. VOCÊ PODE MUDAR OS DESTINOS.

Na hora que os números são acionados é o momento que pode ocorrer um bloqueio, impedindo o raciocínio lógico e dando origem ao trauma. Com a inteligência bloqueada, a razão é eliminada e as emoções assumem o comando.

Certamente, você pode ter passado por alguns momentos na sua infância onde foi ferido(a) por pessoas próximas no momento em que elas estavam sofrendo um desses ataques emocionais. No entanto, perceba que poderia ter sido você a pessoa que não suportou esses surtos emocionais e feriu. Sim, isso pode ter acontecido com você em uma situação de conflito por falta de gerenciamento das suas emoções.

## QUANDO VOCÊ PERCEBER QUE A AGRESSIVIDADE ESTÁ TOMANDO CONTA OU QUANDO VOCÊ TIVER AQUELES CHAMADOS "BRANCOS", A DICA PARA SAIR DESSA SITUAÇÃO É: PARE, RESPIRE E FAÇA PERGUNTAS.

Eu sou um cara que exercitei muito essa questão e determinei, na minha vida, ter domínio próprio nos momentos de maior tensão. Pense que essa prática é um ato de amor pela sua vida e que poucos a praticam. A desconstrução de pensamentos destrutivos e a valorização do VERDADEIRO EU como personagem principal da sua VIDA é, sem dúvida, a melhor ferramenta para não se autossabotar.

## QUESTIONE-SE E APRENDA A FALAR COM VOCÊ MESMO SEM TER QUE DIZER UMA SÓ PALAVRA.

Um dos caras que praticava esse autodiálogo era Jesus, Ele buscava dentro de si questionar as condutas, emoções e futuras ações. Mesmo rodeado por multidões e compromissos, Jesus não deixava de ter seus momentos com Deus.

Certa vez, uma menina de 11 anos, em um colégio público no Brasil, foi chamada para pegar uma prova e seu nome foi falado pela professora de História em alto e bom tom com o sobrenome abreviado: "Roberta C. C. Rocha!". Ao ouvir o seu nome com a abreviação de "CC", todas as crianças começaram a rir imediatamente, porque "CC" era uma gíria popular regional para axilas suadas e fedidas. A aluna não entendeu nada inicialmente e, quando ela se deu conta do que estava acontecendo, fez um registro profundo em sua memória, que foi a causa de um bloqueio em seu aprendizado e de seu lado extrovertido. Ela somente havia seguido a sugestão do pai para abreviar o seu nome que era muito grande e associou essa vergonha com a figura paterna.

Naquele mesmo ano, ela sofreu a perda do seu avô que a levava ao colégio e abandonou definitivamente a vontade de estudar. Caiu em depressão, pegou raiva da professora e se sentiu abandonada. Ficou seis meses mergulhada em tristezas, e a superação aconteceu graças ao nascimento da sua irmãzinha, onde conseguiu ressignificar o bloqueio.

E ela tomou um fôlego, se entregou para Cristo e aproveitou a chegada da irmã para dar um novo significado em sua vida.

## LEMBRE-SE QUE MESMO POUCAS PALAVRAS PODEM CAUSAR BLOQUEIOS GIGANTESCOS EM SUA MEMÓRIA E CAUSAR SEQUELAS PROFUNDAS.

Cuide das suas emoções, combata a poluição da memória e viva livremente como Deus planejou. Deixe de ser escravo(a) e de querer aprovação dos outros, não se importe com o que os outros pensam. Isso não é problema seu e viva o melhor desta terra. A vida é apenas um lugar onde você deve se divertir pra valer.

## A FELICIDADE É PERMANENTE, A INFELICIDADE É TRANSITÓRIA. A PERCEPÇÃO QUE VOCÊ TERÁ DE SI NÃO PODE REPRESENTAR A VERDADE SE A SUA AUTOIMAGEM FOR DEFINIDA PELA MANEIRA QUE OS OUTROS REAGEM A VOCÊ.

Em um vídeo meu no *YouTube* de nome "Exploda a Bolha", compartilho a experiência que algumas pessoas preferem estar em bolhas e faço uma analogia de um aquário, onde as pessoas enxergam tudo o que acontece do lado de fora sem nada poder usufruir.

Esses aquários são os locais que têm tornado as pessoas livres em escravos. Gosto de compartilhar um exemplo da minha cidade onde um empresário, após vender sua empresa por 1 bilhão de reais, se suicidou, pois dedicou sua vida para aquele negócio.

Desinstale a ambição e a ganância, pois a sua vida jamais será a empresa.

## VOCÊ NÃO FOI CRIADO COM A FUNÇÃO DE AMAR COISAS, AME AQUILO QUE DEUS AMA, QUE SÃO AS PESSOAS.

Compartilho que o QI é o seu conhecimento básico, o QE é o controle das emoções e o QS é o que te impulsiona ao seu propósito. Você já tem chaves para se desenvolver nas três esferas QI<QE<QS. Agora, só depende do seu querer.

Ficou claro que a escala de crescimento das emoções **QI<-QE<QS** tem relação direta com a calculadora, expressando que, quanto maior seu domínio próprio, maior seu nível de transformação na sua vida.

## TAREFA

1) O que tem lhe prendido dentro do Aquário, fazendo de você um telespectador da vida?

_____

_____

_____

_____

_____

_____

2) Relate uma experiência onde você conseguiu usar a calculadora, controlar as suas emoções e obteve resultados diferentes.

_____

_____

_____

_____

_____

_____

3) Você consegue identificar qual foi o principal foco de tensão que tirou você do eixo de equilíbrio no relato acima?

_____

_____

_____

_____

_____

**Pessoas acorrentadas são incapazes de SER, elas apenas seguem comandos.**

CAPÍTULO 12

# LIBERDADE

## É seu direito, mas você prefere ficar na prisão.

A verdadeira liberdade vem de dentro da alma e não pela motivação de se ver livre das ordens dos chefes e autoridades. Entenda que liberdade é estar pleno para trilhar e desfrutar do que o Criador deixou de melhor aqui nessa Terra. Neste capítulo, o lúdico e a verdade se chocam na história do Cordeiro e do Leão.

Ao conseguir fazer essa viagem comigo, quero que saiba que a história do mundo não está nas mãos de homens comuns, mas sim nas mãos dos Leões!

Nesse momento, quero que se imagine dentro de uma mansão e, na sala principal, há um Pai amoroso sentado numa poltrona confortável, seu olhar é cheio de amor e autoridade. Fique livre para chamá-lo de outro nome se preferir, Ele tem muitos nomes e não se prenda a isso.

Agora, imagine um cordeiro todo branquinho, manso e amoroso, ele é o seu irmão e seu melhor amigo. Já viu você passar por muitos perigos de morte, e, sabendo que somente Ele poderia te salvar, não hesitou e pediu para morrer em seu lugar. SIM, ele morreu terrivelmente para que você pudesse viver!

Esse cordeiro é um herói com muitas faces, portanto, não fique com dó ou pena, apenas tenha gratidão por Ele.

Quando fiquei sabendo disso, fui ao Pai, que me disse que esse herói é quem vai abrir o "livro" e eu vim te contar que, nas multifaces deste herói, Ele aparecerá em alguns momentos como cordeiro para nos lembrar que estamos vivos, porque Ele morreu para nos dar vida, mas, na maioria das vezes, vamos ver o Leão para saber que você pode e deve governar na terra, vivendo em plenitude e prosperidade.

Neste capítulo, preferi fazer uma história para que você pudesse ativar a sua imaginação, criar novas trilhas neurais, liberando seu lado criativo e ousado.

Agora, permita-se entrar em outra história, você está pronto? Você deve conhecer aquela história famosa contada pela Disney no filme *"O Rei Leão"*, onde Simba é um jovem Leão que é herdeiro do seu pai Mufasa, porém o seu tio malvado planejou roubar o trono matando seu pai.

Durante alguns anos, Simba fica com os amigos que nada se pareciam com ele, acabou esquecendo quem ele era e começou a se comportar como os seus "amigos". Seu propósito ficou totalmente de lado e, somente depois de alguns anos, ele enxergou e assumiu a sua verdadeira identidade que foi feita para reinar.

Você consegue identificar todas as vezes que se comportou como o Simba? Você foi doutrinado pelos seus pais ou professores desde a infância a ser e viver como um cordeiro, isso é terrível. Até quando colocará os outros como prioridade?

Abandone essa teoria marxista que usa o nome de Deus para manipular e permitir que vocês se tornem escravos, ignorantes, pobres e alienados. Acorde agora!

## VOCÊ É UM LEÃO E NASCEU PARA SER LIVRE, REINAR E DESFRUTAR ADOIDADO NESTA TERRA. VOCÊ PRECISA ATIVAR O LEÃO QUE ESTÁ DENTRO DE VOCÊ!

Ative sua autoconfiança. Se isso não ficou claro, volte e leia novamente o primeiro capítulo! E agora não tem mais volta! Você é livre e deve lutar por seus objetivos com garra, determinação e terá resultados! Contudo, a identidade do cordeiro também habita em você e ela, inclusive, deverá ser ativada. Eu, por exemplo, sou um cordeiro no meu quarto com Cristo, onde não ouso levantar a cabeça e sou completamente submetido a Ele. No entanto, quando eu saio de lá, sou um leão, porque sou livre e guiado por princípios.

## NUNCA OUSE MEXER COM UM LEÃO!

Se mesmo depois de ler sobre o Cordeiro e o Leão você ainda não conseguiu pegar os códigos que te passei, agora vou ser bem direto. Pare de pensar como cordeirinho com seus objetivos, porque o Cordeiro já foi sacrificado, agora você tem que ser um Leão!

Ser cordeirinho significa que você tem pouco domínio sobre as suas emoções, sendo muito frágil e sem forças, onde as pessoas mandam e desmandam em você dentro da empresa que trabalha, na sua casa, pois eles começaram a te enxergar como uma pessoa fraca; um cordeiro fácil para ser abatido e isso está errado! Você nasceu para reinar, ser forte e tocar o terror nessa terra!

## PARE DE DEPENDER DA OPINIÃO DOS OUTROS!

Agora que você acordou desse ritmo hipnótico, busque ser lapidado e mude a forma como se enxerga, se comporta e, principalmente, como fala.

Em Provérbios 23:7, diz: "Assim como você pensa em sua alma, assim você é". Sabendo disso, mude agora definitivamente a sua linguagem, pois a sua linguagem mudará seus pensamentos e os seus pensamentos mudarão suas ações.

Eu fico indignado com essa vida sua, sabia? É por isso que eu tenho trabalhado arduamente para que você seja livre, mas tenho visto que muitos de ainda estão em escravidão. Muito se fala sobre a liberdade, porém ela é pouco vivida, porque os grilhões que prendem sua vida são os mesmos que estão ditando seus resultados.

## PESSOAS ACORRENTADAS SÃO INCAPAZES DE SER, ELAS APENAS SEGUEM COMANDOS.

Deus na criação do mundo, formou e criou tudo através da palavra. As coisas que não existiam vieram à existência através da palavra, reforço mais uma vez que isso não é sobre religião, mas sobre princípios.

## QUAIS AS PALAVRAS QUE VOCÊ TEM USADO PARA CRIAR COISAS NOVAS NA SUA VIDA?

## CHEGA DE DESCULPAS E PARE DE SE COMPORTAR COMO VÍTIMA DE TUDO.

Mude essa mentalidade de prisioneiro, declarando as conquistas que você viverá a partir de agora. A decisão de sair dessa prisão mental é apenas sua e de mais ninguém.

Descubra o seu potencial mudando a forma como se enxerga e o que tem feito de você um cordeiro ou, pior, aquele leão na jaula. Ao identificar essas atitudes, estará mais próximo de alcançar a inteligência suprema.

Governe suas emoções e atitudes sendo capaz de produzir frutos e ensinamentos. Veja se pega esse código, comece a modelar Jesus, somente assim saberá o que é viver em liberdade! **Viva como um Leão!**

### TAREFA

1) Escreva a diferença entre ser Cordeiro e ser Leão. Exemplifique.

_____

_____

_____

_____

_____


2) Quais atitudes você tomará para ser um Leão?

_____

_____

_____

_____

**Quanto mais você ampliar os seus mapas mentais, mais terá condições de entender o outro e estabelecer conexões verdadeiras.**

## CAPÍTULO 13
# MAPA DE MUNDO

### Em que mundo você vive?

Os mapas mentais ou mapas cognitivos são leituras que você faz de experiências vividas, a partir de suas crenças e seus valores. Cada pessoa expressa sua visão e realidade, com base naquilo que ela já vivenciou e se posiciona com base em seus conhecimentos.

## OS SIGNIFICADOS QUE VOCÊ DÁ AOS FATOS VÊM DE DENTRO DE VOCÊ.

Não existe uma realidade única, porque duas pessoas não conseguem criar a mesma opinião diante de uma determinada experiência. Desse modo, não existe dois mapas iguais de mundo. Um exemplo ridículo para representar isso são os dedos da mão que não são iguais. E se viajar pelo Brasil, isso ficará bem claro, pois Norte e Sul são opostos em sotaques, costumes, vegetação, gastronomia e tantas outras coisas.

## COMPREENDER QUE EXISTEM VÁRIOS MODELOS DE MINDSET É UM GRANDE DESAFIO E ELES SÃO A ORIGEM DA MAIORIA DOS CONFLITOS ENTRE AS PESSOAS.

Algumas vezes, você se conecta com pessoas chatas, que eu vou chamar de "pessoas diferentes", elas sempre estão na família, no trabalho, na igreja e você precisa amadurecer para transformar esses relacionamentos.

A maioria das pessoas não consegue enxergar as situações de maneira real, já que a mente humana é muito limitada para decifrar as informações sensoriais disponíveis no ambiente. Isso quer dizer que, quando o sistema nervoso envia a mensagem, você não entende de forma clara e acaba alterando a sua percepção de mundo, porque usa os filtros de seus traumas, bloqueios, culturas e religiosidades para compreender os fatos ao seu redor.

Existe mais conteúdo do que somos capazes de internalizar. Você sabia que são descarregados no ambiente cerca de 400 bilhões de bits de informações e a nossa mente consciente é capaz de captar no máximo 2.000 bits por segundo? Isso é terrível!

## QUANTO MAIS VOCÊ AMPLIAR OS SEUS MAPAS MENTAIS, MAIS TERÁ CONDIÇÕES DE ENTENDER O OUTRO E ESTABELECER CONEXÕES VERDADEIRAS.

Crie oportunidades para conhecer novas culturas, ampliar sua ótica e fazer explodir os seus horizontes.

Vou te dar alguns códigos para aumentar seu mapa de mundo:

• Não faça julgamentos baseados em suas crenças limitantes;

• Não critique ninguém. Em vez de fazer uma critica, pode usar somente uma sugestão, seja elegante.

Diante de um fato, existe, no mínimo, duas possibilidades de leitura, uma de modo particular seu e outra na visão de mapa de mundo da pessoa. Ou você compreende exatamente a ótica da pessoa ou pergunta o que ela quis dizer com determinada fala, atitude ou símbolo.

A pessoa emocionalmente plena tem aptidões para criar ambiência em todos os lugares em que ela estiver por meio do uso de uma linguagem apropriada e do vestuário, aumentando a sua capacidade de ver os acontecimentos em ângulos e modos diversos.

A comunicação é muito importante para criar um relacionamento e passar a mensagem de forma clara e simples. Isso é o que chamamos de *rapport*. *Rapport* é uma técnica da Psicologia que foi desenvolvida para criar uma ligação, empatia e sintonia com a outra pessoa.

Com essa conexão, você enxerga e se coloca na posição do outro, criando uma base de apoio emocional.

Quando esse apoio é identificado, existe uma sensação de sincronização entre as pessoas, e o relacionamento ocorre de forma agradável, criando uma ligação entre elas. A Bíblia nos relata esse envolvimento por meio da história de José, em Gênesis 41:14: "Que ele foi trazido às pressas do calabouço, depois de se barbear, trocar de roupa, apresentou-se ao Faraó".

Perceba que José agiu de maneira intencional, porque, nos costumes judaicos, a raspagem de pelos não era comum, porém, para causar uma boa impressão e apresentar-se adequadamente nas exigências do Palácio, ele achou necessário cumprir algumas regras e costumes dos Egípcios.

Essa identificação de comportamentos pode ser usada tanto no pessoal quanto no profissional, baseadas nos estudos de conduta da PNL (Programação Neurolinguística), que eu prefiro chamar de modelagem.

## A MODELAGEM É PEGAR O CÓDIGO DA PESSOA E ADAPTAR AO SEU ESTILO. EU MESMO MODELO ALGUMAS PESSOAS E TRANSFIRO PARA A MINHA LINGUAGEM. ISSO TEM MUITO HAVER COM AUTORALIDADE.

A utilização dessa técnica não te condiciona a imitar os outros, mas te capacita a entender pontos de vista, valores, crenças e contextos de uma nova forma.

Assim, você perceberá, de vários ângulos, o mesmo fato, e entenderá o que desencadeou tal acontecimento com maior precisão.

Este capítulo é para revelar que cada um tem a sua própria interpretação, o seu mapa de mundo, o que pode ser semelhantes ou diferentes das outras pessoas.

Você pode não concordar com meu jeito de ser e de me comportar, mas, se tivesse as minhas experiências somadas às minhas crenças e valores, pensaria e agiria exatamente como eu.

Você não precisa concordar com meu modo de ser, da mesma forma que eu não me importo como você. É o modo que você vive!

Para alcançar a inteligência suprema, precisará respeitar o mapa de mundo diferente do seu!

## TAREFA

1) Você consegue se adaptar em variados tipos de ambiente e com pessoas diferentes?

2) Quais são as características que deve praticar ou ter para que consiga criar ambiência nos locais que frequenta?

3) O que entendeu sobre respeitar o mapa de mundo do outro?

4) Marque a data para uma viagem onde conhecerá um lugar diferente e amplie seu mapa de mundo.

## O DESTRAVAR DA INTELIGÊNCIA EMOCIONAL

5) Durante essa semana, com a ajuda do dicionário, aprenda uma palavra nova para cada dia.

**As desistências são como as ferrugens que te paralisam.**

CAPÍTULO 14

# NÍVEIS DE RESSENTIMENTO

## A ferrugem do coração

Muito tem se falado sobre aproveitar o momento e fazer da viagem uma curtição, porém tenho visto que as pessoas concentram tanto a sua vida no destino que esquecem de aproveitar a estrada.

Sem aproveitar a estrada, muitas pessoas têm permitido que o seu coração fique enferrujado. Quando eu falo de coração enferrujado, quero dizer que, da mesma forma que o metal sofre desgaste ou deformação pela ferrugem, a alma pode estar ou ser destruída pelos ressentimentos.

Para que você não se perca, imagine uma viagem que, em um deter- minado momento, chega num viaduto ou em uma rotatória que pode te levar há quatro caminhos diferentes.

Vou explicar o essencial para que continue a viagem e tome a sua decisão de qual caminho seguir de forma madura e responsável, sabendo que em todos eles haverá recompensas ou consequências.

Vou enumerar os caminhos de forma aleatória, portanto, não se prenda aos números, e sim em quais caminhos evitará e quais prosseguirá.

**1º Caminho é o da Ação:** consideramos como o início de tudo, é ter disposição para agir e se movimentar em sentido a algo, colocando energia em prol de um objetivo.

**2º Caminho é o da Desistência:** viajar por este caminho é o mesmo que renunciar ao direito que tem de algo, ou melhor, privar ou recusar o que você deseja ou é seu.

**3º Caminho é o dos sentimentos Ruins:** raiva, rancor, ódio e mágoa estão dentro deste pacote que não te leva a lugar nenhum, pior ainda, é que estes sentimentos são correntes que o mantêm paralisado e fazem você gastar uma energia que poderia ser usada para agir e produzir.

**4º Caminho é o da Sabedoria Vertical:** chamo de Sabedoria Vertical (QS) o relacionamento com o Criador de todas as coisas, pois somente Ele é capaz de nos direcionar no caminho correto em nossas decisões por ter domínio sobre tudo.

## DURANTE A VIDA PASSAMOS POR MUITAS SITUAÇÕES QUE SE NÃO FOREM RESSIGNIFICADAS SE TRANSFORMARÃO EM DORES QUE IRÃO CORROER TODA A ALEGRIA E ÂNIMO.

Estudos já comprovaram que muitas doenças, principalmente o câncer, têm o seu início quando pessoas escolhem andar por este caminho de ressentimento.

## E ELE SE TORNA UM ESCONDERIJO, UM LUGAR DE HUMILHAÇÃO E VITIMISMO PARA AQUELES QUE O ALIMENTAM.

Quando eu observo alguém ressentido, cheio de ódios e rancores, vejo uma pessoa fraca que, em vez de ser forte e lutar, se sente moralmente prejudicada pela vida e escolhe se envenenar, bebendo dos sentimentos de vingança, ódio, malícia, inveja e com impulsos em prejudicar outras pessoas.

Esses ressentimentos têm o objetivo de te manter escravo, sugando suas forças para que você não tenha energia suficiente para agir e transformar situações da sua vida.

## ESCOLHA CRESCER E AFIRME QUEM VOCÊ É E AS SUAS QUALIDADES.

Minha dica é: seja ridículo, infantil, divertido, espontâneo e transborde, pois isso refletirá em atitudes que farão continuar, criar caminhos novos e ter novas ideias.

## AS DESISTÊNCIAS SÃO COMO AS FERRUGENS QUE TE PARALISAM.

Quando você deixar de ser escravo e tirar as ferrugens que tem sugado suas energias ou melhor tem lhe impedido de ser tudo o que nasceu para ser, afirmo que se sentirá uma peça fundamental neste mundo.

## VOCÊ TERÁ CONTROLE DE SI MESMO(A) E NÃO SE ABALARÁ MAIS COM AS SITUAÇÕES QUE ACONTECEM NO SEU EXTERIOR.

Será mais resiliente e ativo no processo de afirmação em sua potência, espontaneidade e autoralidade.

Quando isso se tornar uma verdade em seu interior, terá condições de entender e aceitar a sua verdadeira identidade de filho amado com todos esses direitos adquiridos por herança e algo incrível acontecerá, será a luz para quem está nas trevas, e o sal para a vida de quem precisa.

## NESSE CAMINHO DE INTIMIDADE COM O PAI, VOCÊ ENCONTRARÁ FORÇAS PARA RESOLVER OS PROBLEMAS.

Quando você passar a viver com esse senso de Paternidade não haverá mais vazio dentro de você, pois Ele preencherá o seu interior e lhe capacitará para superar, reinventar e viver tudo o que já está pronto desde a criação.

Como estou ativando sua imaginação, parto do princípio que estamos no caminho da ação. Reforço também que se você chegou até este capítulo é porque você está buscando evoluir no seu nível de inteligência emocional. Parabéns, pois você não será mais o mesmo após terminar este livro!

Escolha o caminho certo e receba as recompensas!

## TAREFA

1) Quais as rotas e os caminhos novos que você escolherá tomar a partir de agora?

_____

_____

_____

_____

2) Quais atitudes precisa tomar para acabar com o vazio que existe dentro de você?

_____

_____

_____

_____

_____

_____

# O ódio nunca começa com sua pior face.

## CAPÍTULO 15

# ÓDIOS E SUAS FACES

## A toxina que mata

Durante a Segunda Guerra Mundial foi disseminado o ódio, assassinando seis milhões de judeus na Europa durante o Holocausto, sendo eles mais de um milhão de crianças, dois milhões de mulheres e três milhões de homens. Esse genocídio nazista contra os judeus e vários outros grupos étnicos, políticos e sociais.

Notícias como esta de assassinatos estão diariamente em todas as mídias sociais, como, por exemplo, o relato abaixo que chamou minha atenção pela forma que o jovem garoto se expressa e conta em detalhes sua dor.

Um garoto sentado no chão de um quarto escuro com marcas na parede que ele fazia quando estava com raiva. Ao lado, uma discussão que havia começado há mais de 10 minutos e parecia não ter hora para acabar. O menino – com seu fone de ouvido ligado no máximo – tentava abafar os sons dos tapas e gritos que o deixava cada vez mais cansado e com medo.

Ao acordar encontrava-se deitado no chão, era mais uma vítima de brigas, insultos, raivas e ódio que havia naquela casa. Num determinado dia, o menino deixou o seguinte bilhete: "Eles estavam ocupados demais para perceber minha dor e me davam remédios achando que, dessa forma, iria melhorar. Aqueles remédios nunca funcionaram para nada e meus pais achavam que eu estava doente, porém eu apenas estava com medo e, junto ao medo, veio o ódio. Esse ódio faz as pessoas pararem de amar, de ter vontade de viver e ter nojo do mundo, e eu sou uma das faces desse ódio que pode se instalar em qualquer um". Esse menino matou seus pais e depois *deu cabo* da própria vida.

De acordo com o professor de Psicologia Robert Steinberger, da Faculdade de Artes e Ciências em Massachusetts (EUA), diz que o sentimento de ódio possui três componentes fundamentais que são:

**1) A negação de intimidade**, ou seja, manter distância do indivíduo que provoca repulsa. Esse distanciamento pode ficar escondido por décadas, mas, se ativado na forma de vingança, pode causar chacinas e genocídios.

**2) A paixão,** que pode se manifestar na forma de ciúmes ou ira diante de uma possível ameaça. A maioria dos crimes passionais é resultado de um ataque de ódio repentino, que pode ser desencadeado por uma afronta ou por uma humilhação.

**3) Atos de desprezo**, isto é, uma aversão pelo outro com uma propaganda negativa. Um exemplo deste ato aconteceu durante a primeira guerra mundial quando os soldados britânicos falavam que os alemães faziam sabão e outros produtos com os corpos dos inimigos. Hitler percebeu que um grupo pode ser unido pelo ódio. Dessa forma, ele fomentou ideias, como as que os judeus eram seres inferiores.

## QUE VOCÊ NÃO SEJA UM ALIENADO QUE SOFRE A PRESSÃO DAS GRANDES MÍDIAS E MUITO MENOS QUE USE A SUA BOCA PARA INFLAMAR DISCÓRDIA, BRIGAS E ÓDIO.

Durante o século vinte foi acumulado uma série de atrocidades, e o ódio foi um sentimento cada vez mais presente.

Agora, preciso te ensinar a identificar como surgem essas inflações e os comportamentos das faces do ódio.

O ódio nunca começa com sua pior face, ele vem com um jeito de dor, autopiedade e se apresenta na forma de raiva.

De todos os níveis, a raiva é o menos violento e pode ser sentido simplesmente, porque você se machucou ao tropeçar em uma pedra, porque não conseguiu algo que queria ou porque alguém te ofendeu.

Geralmente a raiva por si só não tem poder para agredir a outra pessoa e é apenas um sentimento passageiro.

## O PERIGO É QUANDO VOCÊ PERMITE QUE ESSE SENTIMENTO SE DESENVOLVA E ABRA A PORTA PARA OUTROS SENTIMENTOS DESTRUTIVOS.

O segundo nível é a ira, pois já evoluiu do primeiro estágio que vem com aquela famosa frase de que *"quem bate leva"*, ou seja, uma pessoa que foi ofendida vai querer tirar satisfações com quem ofendeu, aquele que chutou a pedra arremessará a mesma, o mais longe que conseguir, e, o que não alcançou seu objetivo pode culpar alguém pelo fracasso e transformar essa pessoa em um alvo de sua reação.

## EMBORA A IRA SEJA A IGNIÇÃO DE PARTIDA DO MOTOR, ELA É MUITO INTENSA E, SE NÃO FOR CONTROLADA, PODE DESENCADEAR REAÇÕES PERIGOSAS.

Já o ódio é o pior dos três em termos de perigo, porque, existindo o desejo de vingança, o ódio não tem vida curta, pelo contrário, ele é alimentado com o tempo, com as reações agressivas e com toda a maldade que uma pessoa é capaz de fazer.

O sentimento de ódio não tem limites e é exatamente isso que o torna tão perigoso. Ele cega as pessoas e as deixa como escravas.

Quanto ao ódio, não podemos odiar e deveríamos encerrar a discussão aqui. No entanto, minha dica para você é: tenha coragem de não carregar ninguém, elimine o rancor, a angustia e procure ser feliz aprendendo a se amar, fazendo o que te dá prazer e alegria. Vivendo a vida adoidado!

### TAREFA

1) Descreva abaixo o que você aprendeu sobre como se inicia o ódio.

_____

_____

_____

_____

2) O que você precisa fazer para impedir que o ódio encontre morada na sua mente?

A sua autoralidade está carregada de identidade e propósito. Então, assuma o seu verdadeiro papel e seja o que nasceu para ser.

CAPÍTULO 16

# PERSONAGENS

## A autoralidade no palco da vida

Somos todos personagens de nossas histórias, mas, ao mesmo tempo, temos a obrigação de sermos roteiristas. Acompanhe comigo a relação de autoralidade: você foi criado para ser o que seus pais determinaram?

Muitos não escolhem nem a própria profissão e se tornam espectadores da própria vida.

Quero que saiba que apenas existe uma vida, e você não está em um jogo de videogame com vidas extras! Então, comece a ditar as regras e viver intencionalmente, sendo quem realmente gostaria de ser.

Você já foi obrigado a assumir o papel de um personagem? Sim, eu tenho certeza que foi, assim como eu. E o pior, nossos pais são os maiores patrocinadores disso.

Eu até já fui chamado de ovelha negra, desgarrado do rebanho, e quer saber? Que bom que busquei minha autoralidade, não fui influenciado com isso e não me deixei ser conduzido com essas opiniões.

Eu mesmo já modelei várias pessoas, mas mantenho a minha autoralidade, aquilo que sou, na minha identidade, do meu jeito, na minha linguagem natural de ser e, até mesmo, na roupa que realmente faz sentido para mim.

**TODO SER HUMANO DEVE TER PRINCÍPIOS, VALORES E CRENÇAS QUE SERÃO INCLUÍDOS AO LONGO DE SUA EXISTÊNCIA. VOCÊ PRECISA ENTENDER QUE NÃO PODE CRIAR FILTROS QUE OCULTEM A SUA AUTORALIDADE.**

E diante de cenas da vida, o mesmo papel pode ser desempenhado de maneiras diferentes, por diversos atores, você não é um personagem fictício, mas, pasme, é você quem determina seu papel na história da vida real, e deixa a autoralidade em segundo plano, onde certamente deveria colocá-la como prioridade.

### TENHO VISTO PESSOAS VIVENDO UM PERSONAGEM QUE POUCO SE ASSEMELHA NA SUA IDENTIDADE, APRESENTANDO-SE COMO UMA FARSA PARA AS OUTRAS PESSOAS E O PIOR PARA SI E O CRIADOR.

Porque elas fazem isso? Porque ainda desconhecem quem são! Ficou curioso(a) para saber se é um deles ou se está cercado de personagens? Então, não pare a leitura por aqui.

### QUAL É O PAPEL QUE VOCÊ ESTÁ DESEMPENHANDO NO FILME DA SUA VIDA?

Ao ler os personagens abaixo você começará a se identificar e observar quem realmente é ou se vai preferir atuar em outro papel.

Então, vamos lá: lhe explicarei quem é o **diretor.** Ele é o cara que comanda tudo desde a escolha dos personagens, a história e o figurino. Vale a pena ser o diretor, pois, além de dirigir, ele ainda monetiza com a história.

### O VILÃO É AQUELE QUE NÃO RESPEITA NINGUÉM E DESTRÓI OS SENTIMENTOS, CAUTERIZANDO A SENSIBILIDADE, INSTALANDO GATILHOS DE REJEIÇÃO.

Quando você é o telespectador, isso quer dizer que está assistindo o filme de alguém. Não queira participar de uma história que não é sobre você, pois é desnecessário gastar energia, já que não acrescentará nada na sua vida.

Também existem os patrocinadores, aqueles que investem na vida de alguém com recursos, dicas, ideias e conselhos. Um grande detalhe que precisa ser lembrado é que os patrocinadores não são manipuladores. A diferença entre eles é que os patrocinadores são discretos, não invadem a privacidade do outro, não fazem fofocas, não ficam com raivinha e nem sabotam os que não seguem seus conselhos.

O herói é o personagem que mais sofre, pois sempre quer salvar o mundo! Você já parou para pensar o que seria entregar um filho à morte em sacrifício? Você não precisa salvar ninguém, porque Deus já enviou seu filho para esse papel. Eu até gostaria de ser um herói, mas gasta energia demais e tem POUCO retorno sobre o investimento. Além do mais, Ele já existe, o herói absoluto que é CRISTO.

Então, não precisa ser um herói, pare de se inspirar nos filmes da Marvel e de querer resolver o problema da humanidade.

## VOCÊ SÓ PRECISA RESOLVER OS SEUS PROBLEMAS!

O próximo personagem é o produtor do filme, esse é aquele que comanda os diretores. Nessa função, você pode ser o que quiser e ainda é monetizado, pois recebe a maior parte dos recursos e a vida dele é muito mais fácil.

Como produtor, ao sentar-se à mesa, o assunto será sempre abordado ao redor dele. Com muita convicção, ele traz o tema que será abordado como um mediador dos assuntos mais relevantes.

Vou te dar um exemplo, a minha esposa observou há alguns anos que, em toda vez que nós nos sentávamos numa mesa, as pessoas falavam os assuntos que eu não tinha interesse, logo eu conseguia modificar o assunto realizando algumas perguntas.

## NA MINHA OPINIÃO, O PIOR DOS TIPOS DE PERSONAGENS É A VÍTIMA. ESSE PERSONAGEM NÃO SE AMA, SE SENTE COITADINHO E É O PREJUDICADO PELO MUNDO. ESTÃO SEMPRE ESPERANDO QUE ALGUÉM FAÇA ALGO POR ELES E ALGUNS CHEGAM ATÉ PENSAR EM TIRAR A PRÓPRIA VIDA.

Seja você mesmo(a) e fique livre para poder transitar entre

os personagens, mas fique atento(a): nunca escolha ser a vítima, que é um tipo de pessoa que não agrega nada e ainda suga a energia dos outros.

Daí, você vem me perguntar: "Nossa Pablo, mas você não tem inteligência emocional?". Sim, tenho! Tenho tanta que a minha inteligência me diz para ficar bem longe de pessoas assim, pois não posso desperdiçar as minhas energias com isso.

Eu tenho três filhos, e nem as crianças pequenas eu deixo que se vitimizem. Vou pra cima e ensino que eles podem tudo e que não precisam estar nesse lugar.

### QUANDO PERCEBO QUE AS PESSOAS ESTÃO ME ROTULANDO COMO "PERFEITO", LOGO DIGO: "EU VOU TE DECEPCIONAR, PORQUE EU NÃO SOU HERÓI. NÃO VOU PASSAR A MINHA VIDA SOCORRENDO VÍTIMAS".

Em Gênesis 3:22, Deus diz para cada um ir cuidar da sua vida! Isso aconteceu quando Adão e Eva desobedeceram e eles foram lançados para fora do jardim e Deus mandou o recado: "Agora você terá que plantar sua colheita". Foi nesse versículo que me inspirei para escrever o livro "*Vá cuidar da sua vida*".

### VOCÊ PRECISA ENTENDER QUE SUAS ATITUDES DETERMINAM O SEU CAMINHO E O SEU FUTURO.

O meu filho mais velho acordava sempre com uma cara ruim, chorando, porque não queria acordar cedo. O meu filho do meio já acorda sorrindo, aí você me fala: "Isso é a personalidade".

Entenda que não tem a ver com personalidade, é uma questão de treinamento! Você pode treinar para acordar de uma maneira diferente, com alegria e, com o passar do tempo, se torna natural.

Treinei ele para abandonar esse hábito de mau humor

matinal. Quando ele chorava, eu dizia: "Você não vai me ganhar com isso, pode parar! Olha para mim filho, faço tudo sorrindo, trabalho sorrindo, acordo sorrindo, faço exercício sorrindo!

Perceba que tudo é uma questão de treino, de mudança de hábito até atingirmos um nível de inteligência emocional e isso se tornar um estilo de vida.

Após entender sobre os vários tipos de personagens, volto a dizer para parar de viver uma vida de aparências e de representar um personagem que não te levará a lugar nenhum.

## SE VOCÊ ESTÁ INSATISFEITO COM A VIDA QUE TEM LEVADO ATÉ HOJE, COMECE A SE POSICIONAR E OCUPE UM LUGAR DIFERENTE NA HISTÓRIA DA SUA VIDA.

Lembre-se que pensar e agir devem estar na mesma frequência. Isso quer dizer que não vale a pena falar de um jeito e se comportar de outro. Escolha com responsabilidade o personagem que ocupará a partir de agora.

## A SUA AUTORALIDADE ESTÁ CARREGADA DE IDENTIDADE E PROPÓSITO. ENTÃO, ASSUMA O SEU VERDADEIRO PAPEL E SEJA QUEM NASCEU PARA SER.

### TAREFA

1) Qual é o personagem que você tem vivido no palco da sua vida?

_____

_____

_____

_____

_____

_____

_____

2) Seja o patrocinador de alguém, invista recursos, tempo e transborde o que você aprendeu neste capítulo.

Quando alguém falar algo, ao invés de julgar a fala dessa pessoa ou ficar com algum sentimento de dúvida, faça uma pergunta.

## CAPÍTULO 17

# QI - QE - QS

## Você é Corpo, Alma e Espírito

Você entenderá o que esses termos realmente significam, e ainda te contarei alguns segredos para conquistar a tão sonhada inteligência emocional e elevar a sua inteligência espiritual.

### O QUOCIENTE DE INTELIGÊNCIA, CONHECIDO COMO QI, É A MEDIDA QUE INDICA O NÍVEL E A CAPACIDADE INDIVIDUAL DE MANIPULAÇÃO DE FORMAS, NÚMEROS, FATOS E PALAVRAS.

Para ilustrar melhor, pense que o seu cérebro é um computador e, quanto maior a capacidade de processamento, melhor.

Essa expressão ficou muito popular através dos testes psicológicos, os "testes de inteligência" aplicados em adultos, conhecido como teste de QI, ou seja, quanto mais rápido a capacidade de assimilar a compreensão da informação, maior será a sua inteligência intelectual.

O nível de QI e QE são variáveis em cada pessoa, e é possível que uma pessoa tenha um alto nível de QI, e tenha um menor nível de QE, assim como o inverso também pode ser verdadeiro.

### O QUOCIENTE EMOCIONAL, TAMBÉM CHAMADO DE QE, FALA DA CAPACIDADE QUE A PESSOA TEM EM RECONHECER E GOVERNAR AS EMOÇÕES EM SI E NOS OUTROS.

Isso, vai demonstrar como você responde, reage às crises pessoais e lida com as pressões do meio.

### UMA PESSOA COM UM BOM NÍVEL DE QE PODE RECONHECER, CONTROLAR E EXPRESSAR AS PRÓPRIAS EMOÇÕES, BEM COMO PERCEBER E AVALIAR AS EMOÇÕES DE OUTRAS PESSOAS.

Isso inclui fatores como: automotivação, persistência, controle dos impulsos, controle do humor, empatia e esperança.

Segundo Daniel Goleman, psicólogo norte-americano e autor do Best-Seller *Inteligência Emocional*, o cérebro emocional responde aos acontecimentos de forma mais rápida do que o cérebro pensante. Você sabe me dizer a diferença entre o responder e o reagir?

No ato reagir (QE), o processo é automático, instantâneo e é acionado um gatilho emocional, onde de forma inconsciente expressa involuntariamente as suas emoções.

Já o responder (QI) é um processo consciente de perceber como você se sente e, depois com base nesse entendimento, decide qual a postura que adotará.

Portanto, você não tem experimentado a novidade de vida que tanto almeja, porque tem acumulado muitas imagens negativas, que gera de maneira inconsciente pensamentos e interpretações que parecem verdadeiro, mas que, na verdade, eu chamo de filtro, lente bloqueadora ou crença limitante.

Você acredita que essas crenças limitantes têm lhe impedido de desenvolver a inteligência espiritual (QS)?

Para que você destrave o QS, lhe explicarei um pouco melhor o que é **Crença Limitante**.

As crenças limitantes são como ímãs, você acredita em algo e isso logo se torna real, mesmo que não seja. Por exemplo, se você acredita que a vida é difícil, de fato, ela se tornará difícil. Se acredita que não consegue, você não conseguirá e assim por diante.

**DESDE OS PRIMEIROS ANOS DE VIDA, SOMOS INFLUENCIADOS DE MANEIRA POSITIVA E NEGATIVA POR TUDO À NOSSA VOLTA. DESTE MODO, VAMOS FORMANDO NOSSOS MODELOS MENTAIS E PERCEPÇÕES DO MUNDO QUE, NA MAIORIA DAS VEZES, NÃO CORRESPONDEM À REALIDADE.**

Essas experiências são determinantes para a formação da criança, da visão que ela terá de si mesma e do mundo quando se tornar adulta.

Ao longo da sua caminhada, quantas vezes você não questionou e acreditou em tudo o que foi imposto para você? E é por conta desse comportamento "inocente" que passou despercebido o impacto negativo de todas essas situações.

## ATÉ QUANDO VOCÊ SERÁ ESCRAVO(A) DE SEUS PENSAMENTOS (QI), DE SEUS SENTIMENTOS E DE SUAS EMOÇÕES (QE)?

Esses bloqueios são o que tem limitado o seu mapa de mundo. Por isso, identificar essas crenças que a vida te proporcionou é um passo importante para poder escolher as armas corretas e lutar contra elas.

Para identificar uma crença limitante, você precisa:

• Saber quais são os seus bloqueios emocionais. Seus medos, suas dúvidas e fraquezas;

• Entender o porquê você não consegue chegar aos seus objetivos e fazer uma lista dos pensamentos que surgirem, como os exemplos dos quais falamos anteriormente;

• Encontrar como essa crença passou a fazer parte da sua vida e como ela se instalou;

• Descobrir quando foi a primeira vez que esse bloqueio se manifestou;

• Lembrar de como você usa essa emoção para apoiar seus sentimentos.

Para finalizar, é hora de quebrar as barreiras construídas com essas crenças e limpar o caminho, abrir espaço para novas perspectivas e modos diferentes de curtir a vida.

Para cada crença limitante, execute duas tarefas que as invalidem. Desafie-se em realizar coisas que nunca teve coragem de fazer. Por exemplo, se a sua crença é sobre autoimagem, sugiro que faça um vídeo ou uma *live* no Instagram ainda hoje.

O DESTRAVAR DA INTELIGÊNCIA EMOCIONAL

Nessas centenas de *Métodos IP's* que já apliquei observei que os bloqueios são gerados principalmente por pais, mães e professores dados aos graus de autoridade.

Portanto, os mais de 40 anos de estudos das Inteligências Múltiplas em Harvard, por Howard Gardner, observou que o maior erro do sistema é tratar as pessoas de forma generalista, sendo nivelados por baixo e por suas competências, causando bloqueios que os impedem de romper e atingir níveis mais altos no QI, QE e principalmente no QS.

Howard provou que pessoas possuem diferentes tipos de mentes e, portanto, aprendem, executam e entendem de maneiras diferentes, o chamado perfil das inteligências são combinadas para realizar tarefas, resolver problemas e compreender a experiência da vida em sociedade.

De acordo com estes estudos, todos somos capazes de conhecer o mundo através da linguagem, análise lógico-matemática, representação espacial, pensamento musical, intrapessoal, naturalista, existencial, uso do corpo para resolver problemas ou criar coisas.

Entender as pessoas e suas diferenças é o ponto forte dessas inteligências, não podendo ser analisadas somente no seu conhecimento de matemática ou gramática.

Gardner diz que essas diferenças desafiam o sistema educacional da atualidade, pois pretende que todos possam aprender com os mesmos materiais, da mesma forma, e que uma maneira universal não é suficiente para testar a aprendizagem dos alunos.

De fato, como atualmente constituído, nosso sistema educacional está inclinado somente para o aprendizado da linguagem e um pouco de ensino lógico. Da mesma maneira, nossa Inteligência Espiritual (QS) tem sido bloqueada pelos religiosos e seu sistema.

Precisamos entender, de uma vez por todas, que Deus nos fez únicos com Identidade e Propósito. Que você não seja mais um alienado, vivendo debaixo das imposições de pessoas emocionalmente bloqueadas.

**QUERO MUITO QUE VOCÊ TENHA A COMPREENSÃO DO QS, POIS A INTELIGÊNCIA ESPIRITUAL EXPANDIRÁ O SEU HORIZONTE CEREBRAL, TE FARÁ MAIS CRIATIVO E TE IMPULSIONARÁ A ENCONTRAR UM SIGNIFICADO RELEVANTE PARA A SUA VIDA.**

**ESSA MUDANÇA DE MENTALIDADE TRANSFORMARÁ A SUA MANEIRA DE AGIR, PENSAR E SERÁ DETERMINANTE PARA O SEU AMADURECIMENTO EMOCIONAL.**

A Inteligência Espiritual (QS) de todas as inteligências é a inteligência do caminho! É o QS que da a direção de todas as esferas.

O QS está ligado a inteligência existencial, sendo ela o canal de sabedoria no qual qualquer pessoa livre pode ter acesso a pensamentos apurados e ideias inovadoras, fazendo o alinhamento das três esferas existenciais **"Corpo, Alma e Espírito".**

Esta inteligência espiritual não tem nada a ver com religião, e sim com propósito que determina um sentido para a sua vida.

Neurobiologistas descobriram um ponto localizado nos lóbulos temporais do cérebro, chamado de ponto divino ou ponto de Deus, e alguns físicos afirmam que pessoas que tem o QS desenvolvido são capazes de dar melhores direcionamento para sua vida.

Depois de conseguir te levar a entender a importância de ser livre e atingir níveis mais altos no QI, QE e QS, mesmo não querendo me engrandecer, tenho que compartilhar com você que já estive pessoalmente com Goleman, o precursor da Inteligência Emocional, o cara mais famoso nesse assunto, outro PHD formado em Harvard, e o conselho que ele deu para minha equipe em um almoço foi: "Aja rapidamente sobre suas emoções".

A Inteligência Emocional aflora o potencial de domínio das habilidades aprendidas e proporciona a autoconsciência e gerenciamento de emoções. Portanto, independente de você ter tido problemas em sua infância, família, educação e na sua vida amorosa, há sempre um novo dia e um novo amanhecer para viver uma nova história.

Que a partir deste capítulo, você esteja com as 3 esferas alinhadas para poder desfrutar e se desenvolver de forma plena, vivendo a prosperidade de forma natural.

Quem tem baixo índice de Inteligência Emocional demora a aprender, fica arrumando desculpa para tudo e quer brigar.

Quanto mais rápido você aprender isso, mais veloz seu índice de Inteligência Emocional aumentará, esteja aberto para aprender. Quando você se desespera por um telefonema ou um programa de TV, isso demonstra que você ainda tem uma inteligência emocional muito baixa e precisa criar mecanismos para aumentar o seu foco.

Quando alguém falar algo, ao invés de julgar a fala desta pessoa ou ficar com algum sentimento de dúvida, faça uma pergunta.

## TAREFA

1) Vamos fazer um exercício agora, vou escrever algo a seu respeito: "Você é feio, pobre e nunca vai ser nada na vida!".

Escreva abaixo o que veio à sua cabeça, quando leu essa frase:

_____

_____

_____

_____

Se você respondeu, tristeza, indignação, raiva ou qualquer outro sentimento, não passou no teste. Era para ter feito uma pergunta!

Então, mais um motivo para continuar lendo este livro e tirar o cérebro do automático, do ritmo hipnótico e voltar ao exercício anterior e formular a sua resposta, ou melhor a sua pergunta.

Agora, falarei uma coisa que é real sobre você, todo mundo descobriu que você é burro. Que horrível isso, não é? Para sair dessa pressão, a primeira dica que eu te dou é: faça perguntas!

Por exemplo:

• O que é ser burro para você?

• Qual é o seu referencial de burrice?

• E de zero a dez, qual o seu grau de burrice comparado com aquilo que você está atribuindo nessa fala?

2) Depois de ouvir as perguntas acima, a pessoa vai querer fugir. Então, treine e elabore abaixo as perguntas para situações que você se sente pressionado.

# O DESTRAVAR DA INTELIGÊNCIA EMOCIONAL

Apenas conseguimos ressignificar os momentos difíceis quando dentro de nós existe o desejo legítimo de ser feliz, pois a escolha é sempre nossa.

## CAPÍTULO 18

# RESSIGNIFICAÇÃO

## A cura está em suas cicatrizes

Quando a Neurolinguística fala sobre a ressignificação, nos ensina que isso é o mesmo que dar um novo significado aos bloqueios emocionais a partir de uma mudança na sua visão e na sua memória.

Durante a vida, passamos por experiências e estímulos que nem sempre são positivos e essas cicatrizes aparecem com os bloqueios; que podem ser abusos, rejeições, vergonhas e até mesmo a superproteção.

É você quem dá a intensidade e o significado para esses acontecimentos que deixaram as cicatrizes na alma e, muitas vezes, a expressão dessas dores podem ser o isolamento; fechando-se na tentativa de se proteger da sensação de dor, decepção, frustração ou impotência.

## A DOR SÓ PODE SER CICATRIZADA SE FOR VIVIDA COM SINCERIDADE, OU SEJA, SEM TENTAR NEGÁ-LA.

Nesse primeiro momento, é fundamental entrar em contato com a tristeza, a dor e se permitir vivenciá-la, a fim de que você possa encontrar um novo sentido.

Quando essas dores podem ser cuidadas e divididas com alguém, surge a possibilidade de extrair o remédio e torna-las suportáveis com a construção de um novo significado para as cicatrizes. Gosto muito do exemplo das pérolas, elas são o resultado final da superação de um processo de dor, pois, quando um grão de areia entra na ostra, ela começa um trabalho para se proteger e cobre o corpo estranho.

Quando os circuitos cerebrais mandam os sinais de alerta respondendo ao fato da dor contida na ferida, a ressignificação opera como uma ponte, um escape para criar uma nova e saudável resposta ao que era o bloqueio.

Isso seria como identificar a história antiga, o acontecimento do bloqueio que estava gravado no drive e, ao acessá-lo, você tem a oportunidade de regravar algo em cima.

Minha intenção é lhe mostrar que há um jeito de mudar a sua visão de mundo e, para isso, é necessário usar uma lente para que veja a nova perspectiva.

Quero que mude a lente para mudar o significado do acontecimento, pois assim serão modificadas as respostas e os seus comportamentos.

## VAMOS AGORA PARAR DE FICAR DANDO VALOR INDEVIDO ÀS LEMBRANÇAS DOLORIDAS, POIS, A CADA VEZ QUE APARECEM, CRIAM MAIS RAÍZES DENTRO DO CÉREBRO.

Você sabia que essas raízes estão atrapalhando seu aprendizado e estão interferindo diretamente na conquista dos seus objetivos?

Sim, essas raízes estão travando a sua memória e te desorientado, tirando o foco do seu objetivo.

## PARE IMEDIATAMENTE DE DAR ÊNFASE PARA A SUA FERIDA, POIS ELA JÁ FOI E NÃO É MAIS UMA AMEAÇA.

Ouvimos sempre a palavra resiliência, que é a reação de constância diante das adversidades.

Veja que a ressignificação é um termo usado há muitos anos por vários profissionais, então não tenha medo de mudar a sua vida a partir de agora usando essa lente poderosa.

Estou aqui para te ensinar a enxergar o mundo como ele realmente é, pois somos constantemente influenciados pelo meio em que vivemos. Quando você tem a possibilidade de se atualizar e se dar uma nova oportunidade, pode iniciar o processo de transformação e crescimento como diz Satre: "O importante não é aquilo que fazem de nós, mas o que nós mesmos fazemos do que os outros fizeram de nós".

Eu vou te ensinar trocar a experiência dolorida por uma nova oportunidade de viver naturalmente pela prosperidade, paz e alegria construindo uma nova visão.

## SÓ CONSEGUIMOS RESSIGNIFICAR OS MOMENTOS DIFÍCEIS, QUANDO DENTRO DE NÓS EXISTE O DESEJO LEGÍTIMO DE SER FELIZ, POIS A ESCOLHA É SEMPRE NOSSA.

Compartilho aqui a história de uma jovem mulher que me procurou dizendo que o marido havia trocado ela por uma amiga e que a dor estava insuportável.

Eu apenas fiz uma pergunta a ela: "Como você era tratada por esse cara?". Rapidamente, ela me respondeu que sofria agressões físicas e abusos psicológicos constantemente... Eu apenas dei um sorriso de lado e ela entendeu que o que aconteceu: foi uma oportunidade para ela dar um novo sentido e uma nova visão sobre aquele abandono.

Esse foi um de muitos outros casos, porém há uma técnica que lhe ensinarei agora e será uma ferramenta poderosa, que você poderá usar toda vez que identificar que algo para ser ressignificado.

**1). Identifique o evento que você foi bloqueado e verbalize o acontecimento.**

Exemplo: um evento de escassez na sua casa durante a sua infância. Escreva como foi essa experiência. Escassez é quando alguém limita a prosperidade ou o crescimento natural.

**2). Quem estava presente na cena?**

Exemplo: qual a pessoa que te apresentou a escassez?

**3). Relembre o acontecimento, o fato.**

Exemplo: feche os olhos e reviva esse momento. Aceite a ignorância dessa pessoa no assunto e a perdoe agora mesmo. A sua liberdade de hoje será bem melhor que toda a dor do seu passado.

**4). Crie um novo final para esse episódio, um final feliz e libere perdão para a pessoa.**

Exemplo: instale a abundância na sua vida, perceba os seus sentimentos de felicidade.

Você é abundante sim! Agora, aja rapidamente sobre suas emoções. Com certeza, não será do dia para noite que você desbloqueará todas as suas crenças e traumas, mas é fundamental aprender a dar um novo sentido as coisas. Isso é mais uma parte do seu processo.

## RESSIGNIFICAR NÃO QUER DIZER QUE VOCÊ ESQUECERÁ A EXPERIÊNCIA RUIM, MAS QUE VOCÊ APRENDERÁ QUE O MEDO E A ANGÚSTIA DAQUELA EXPERIÊNCIA PODE SER TRANSFORMADA EM ALGO MUITO BOM.

Você não estará mentindo para si mesmo(a), você aprenderá aceitar a situação e olhar por "outro ângulo" de uma forma favorável.

Isso pode até ser usado em uma situação em que já tenha perdoado a pessoa, porém ressignificar não é perdão. Apesar de conter o ato de perdoar, é necessário refazer o caminho cerebral. Tudo está em sua mente e, é nela, que precisamos implantar um novo final para tal evento.

Que você consiga ver a beleza e o potencial que carrega dentro de si, permita se transformar a cada dia, descobrindo o sentido da sua existência e se aproximando mais da fonte.

## NÃO ACEITE VIVER MAIS A VIDA REPLETA DE BLOQUEIOS, POIS GUARDAR ALGO NEGATIVO É CRIAR UMA PRESSÃO INTERNA E DESNECESSÁRIA.

## TAREFA

1) Faça uma ressignificação e escreva a sua experiência.

2) Relate abaixo o que aprendeu sobre ressignificação e compartilhe com duas pessoas.

# A vida é uma diversão para quem pensa e uma tragédia para quem apenas sente.

## CAPÍTULO 19

# SEQUESTRO EMOCIONAL

## Você pode estar a um passo do seu maior erro

Conhecido também como sequestro neuronal é a dispersão das emoções, ou seja, quando uma emoção muito forte toma conta do cérebro e paralisa a capacidade de raciocínio e análise dos fatos.

Você se lembra de situações de estresse em que perdeu a linha de raciocínio e se exaltou em uma discussão e se arrependeu depois de ter agido daquela forma?

Jorge Souza, de 27 anos, chega em casa após um plantão pesado na madrugada passada, pega o celular da esposa e descobre uma conversa íntima dela com um farmacêutico que ela conheceu na semana anterior. Até aquele momento tudo estava muito bem entre eles.

O que ele mais temia na vida sobreveio e, agora, estava tudo diante dos seus olhos. Ele, ao ler essas mensagens, tenta não acreditar no que está vendo, ali estava a comprovação da traição de sua esposa. Aqueles textos o sequestram emocionalmente, e ele não consegue ver mais nada dali por diante.

Jorge vivenciou a traição de sua mãe para com o seu pai ainda pequeno, e isso o bloqueou emocionalmente. E o resultado desse bloqueio foi sempre ficar com "um pé atrás" e nunca confiar em mulheres. Ao se deparar com as mensagens indecentes da esposa, ele não conseguiu mais agir de forma sábia, somente reagir de modo completamente instintivo.

### AQUI VAI UM ALERTA!

### REPENSE AS SUAS AÇÕES E TOME CUIDADO COM AS REAÇÕES INSTINTIVAS.

### AO ESTAR DEBAIXO DE REAÇÕES IMPULSIVAS, VOCÊ PODE ESTAR EXPERIMENTANDO UM SEQUESTRO EMOCIONAL CAPAZ DE DESTRUIR GRANDE PARTE DA SUA VIDA E AINDA ACABAR COM A VIDA DE OUTRAS PESSOAS.

Ele matou a esposa com 25 facadas. O crime ocorreu em Belo Horizonte, Minas Gerais, em um domingo. No dia de ficar com a família, ele resolve acabar com tudo, o neocórtex não foi avisado, porque o tálamo enviou a mensagem diretamente para a amígdala.

Como Jorge pode matar a pessoa que ele mais amava? A sua querida esposa Mariana, de 19 anos, que era a mãe dos seus filhos. Eles tinham um bebê de 1 ano e um garotinho de 3 anos. Será que ele não pensou nos filhos e em sua liberdade? Será que ele pensou nos familiares dele, da esposa ou em Deus?

**NA VERDADE, UMA PESSOA SOB SEQUESTRO EMOCIONAL NÃO CONSEGUE PENSAR EM NADA. ELA SÓ CONSEGUE SENTIR. A VIDA É UMA DIVERSÃO PARA QUEM PENSA E UMA TRAGÉDIA PARA QUEM APENAS SENTE.**

Depois que ele ficou livre do sequestro emocional, foi até a casa da avó completamente arrependido e contou todo o caso pra ela, pediu 50 reais para fugir, entrou em um *Uber* e não foi visto até hoje.

Esse sequestro neuronal de poucos segundos, sequestrou Jorge por toda a vida. Assim, como Caim quando matou o seu irmão Abel, foi amaldiçoado e ficou errante pela terra.

Jorge sequestrou a vida da esposa que não pode mais viver. Sequestrou os filhos que crescerão com bloqueios emocionais pesados por conta do assassinato, pela falta de afeto e direção dos pais. Mariana foi encontrada em seu colchão com cortes profundos nas costas, na orelha, nos braços e no peito.

Ela não pode contar a sua versão, o motivo que a levou a quebrar a aliança com o marido. A voz dela se calou por conta da amígdala do marido. Será que ela se sentia amada pelo esposo ou estava sobrecarregada com as crianças pequenas em casa? Não sabemos, pois ela nunca poderá contar a sua versão, o que realmente aconteceu.

Esse caso é verídico! E qualquer pessoa pode passar por isso. Contudo, você pode usar essa história como um botão de pausa, uma autossugestão para te ajudar nas tomadas de decisões difíceis da sua vida.

## VISUALIZAR O RESULTADO FINAL SEMPRE TE AUXILIARÁ NAS TOMADAS DE DECISÕES.

Eu mesmo cheguei perto de ser esse filho do Jorge e da Mariana. Os meus pais não se respeitavam no casamento deles e, quando eu tinha 5 anos de idade, o meu pai traía a minha mãe com várias mulheres e a minha mãe, uma jovem sem estrutura emocional na época, também o traiu.

Interessante que meu pai ao descobrir resolveu matar a minha mãe. Ele chegou em casa decidido tirar a vida dela, mas, segundo o próprio relato dele, ao me ver, pensou em quem cuidaria de mim e da minha irmã; eu olhei no fundo dos seus olhos com muita ternura e pedi colo para ele.

O revólver calibre 38 já estava carregado na cintura. De fato, tinha chegado a hora da desgraça. No entanto, o neocórtex do meu pai voltou a operar e ele resolveu somente se divorciar da minha mãe e a deixou seguir a vida dela em paz.

"Ufa! Obrigado pai, por conseguir se controlar diante de um sequestro emocional pesado como esse. O senhor teria destruído uma geração se tivesse feito isso."

Os dois estão bem hoje, são pessoas de respeito e grande valor. Não compartilho essa história para denegrir a imagem deles, mas para te dar um testemunho precioso de como a sua decisão pode mudar o caminho.

Tem mais de 10 anos que ressignifiquei essas *tretas* familiares e hoje olho para eles com pureza e entendo o momento de baixo índice de inteligência emocional que eles viveram na época.

## TAREFA

1) Escreva abaixo o que você entendeu sobre sequestro emocional.

2) Numa situação de sequestro emocional, respire profundamente e responde essa pergunta. Como um sábio agiria em meu lugar?

# É simples porque qualquer idiota faz, mas difícil porque idiotas não fazem todos os dias.

CAPÍTULO 20

# TREINAMENTO

### Um cérebro obeso luta contra o espírito

Quando você quiser romper as limitações, lembre-se que o seu cérebro vai ser relutante no início de qualquer treinamento, ele nunca vai ajudar nestas tomadas de decisões que gastem energias.

## NOSSO CÉREBRO SEMPRE VAI OPTAR PELO CAMINHO DO DESCANSO E DA ECONOMIA DE ENERGIA.

Há muito tempo, venho estudando a mente humana e posso afirmar que a mente pode e deve ser treinada, assim como todas as nossas habilidades motoras e a nossa capacidade em expandir a memória.

Falando de memorização, gostaria de saber quanto tempo você precisa para decorar um número de telefone? A minha dica é que repita por várias vezes, por exemplo, no mínimo, umas dez vezes. Pois, a repetição faz o cérebro criar várias conexões que te levará ao conteúdo guardado. Quanto mais existirem essas repetições, mais criações de atalhos, ou seja, a disposição do conteúdo em caixas de acesso imediato.

Imagine que seu cérebro é um estoque gigantesco cheio de caixas, que, quando algo for solicitado, isso pode estar guardado em um local de acesso fácil (se tiver várias trilhas) ou difícil acesso que são os conteúdos menos requisitados e com poucas repetições.

Quando a informação não for mais utilizada, ela será guardada em uma caixa de difícil acesso.

## PRESTE BEM ATENÇÃO NO QUE VOCÊ TEM REPETIDO.

## SE VOCÊ FALA SEMPRE PARA SUA MENTE QUE ALGO SERÁ DIFÍCIL, LÓGICO QUE ISSO SERÁ DIFÍCIL MESMO.

Igualmente quando um empresário me diz que vai falir, é porque isso já aconteceu na mente dele. Então, em breve, isso acontecerá mesmo, porque ele já faliu. E quer saber mais ainda, todo o seu organismo te sabotará para que a ideia de derrota vença, somente para que ele encontre mais uma maneira de economizar energia.

Lembre-se de uma ideia brilhante que teve e de imediato teve um pensamento negativo, dizendo: "Que ridículo! Jamais você conseguirá fazer isso", e tristemente você não deu sequência no objetivo apenas por culpa de um cérebro obeso e preguiçoso.

E é assim que o organismo funciona, o que mais você usar e repetir, mais ganhará musculatura, notoriedade e acessibilidade. E o mesmo pode acontecer com uma história, ideia ou uma crença.

## JÁ PASSOU DA HORA DE VOCÊ COMEÇAR A TREINAR OS SEUS PENSAMENTOS. SÃO ELES QUE DETERMINAM OS SEUS RESULTADOS.

Qualquer pessoa é capaz de treinar o próprio cérebro. Comece criando desafios! Tente a cada momento aumentar o tamanho das informações que você absorve e gradativamente aumente o número dessas informações.

## FORCE SUA MENTE, BUSQUE UM NÍVEL AINDA NUNCA EXPERIMENTADO. FAÇA ASSOCIAÇÕES ENTRE COISAS OU EXPERIÊNCIAS JÁ CONHECIDAS E TENTE BATER O PRÓPRIO RECORDE DE MEMÓRIA A CADA MOMENTO. TENHO CERTEZA QUE, EM POUCO TEMPO, ESSA TAREFA SERÁ MUITO FÁCIL PARA VOCÊ.

A memória divide-se em três partes: registro, informação e recordação.

**A primeira é o registro:** a mente recebe e faz a seleção transferindo a informação que chega pelos sentidos.

**A segunda é a informação:** essa é a mensagem codificada e é gravada permanente.

**A última é a recordação:** ter acesso ao arquivo quando precisar, são arquivos históricos da memória.

Após entender sobre como ampliar seus resultados e também a capa- cidade de memorização, outra dica importante é que procure novas atividades constantemente, repetindo essa condição até o seu cérebro sair do modo automático e desenvolver novas trilhas.

Tente se lembrar, quando você começou a amarrar os seus sapatos, foi uma tarefa difícil? Possivelmente você teve que repetir isso várias vezes. E foi esse treino que te tornou capaz de realizar essa tarefa, após algum esforço.

## O TREINO CONTÍNUO DA MENTE É CAPAZ DE TORNAR ATIVIDADES COMPLEXAS EM ALGO BEM SIMPLES.

Não tenho dúvidas que o corpo é regido pela mente, seja capaz de superar qualquer obstáculo começando a pensar nos benefícios e nas recompensas. Não apenas vou compartilhar, mas ensinar alguns exercícios que faço diariamente para aproveitar melhor a minha vida.

Eu faço um exercício diário chamado *Boot*, que é um termo em inglês utilizado para fazer referência ao processo de inicialização de um computador.

Faço uma analogia com o botão "liga" do computador, começando na noite anterior ao dormir e peço que você deite na sua cama relaxadamente e tente se desconectar de todos os barulhos e dos eletrônicos, deve até deixar o celular em outro cômodo. Isso é uma questão de treino, no início, você provavelmente esquecerá, mas coloque um alarme para sempre se lembrar de fazer o *boot* e logo isso se tornará um hábito.

**Passo a passo do *BOOT*:**

**O primeiro passo é:** durma sorrindo e aprenda a controlar sua respiração, inspirando pelo nariz e soltando suavemente pela boca. O fato de colocar a atenção na respiração faz com que as preocupações sejam excluídas e a energia canalizada no agora. Não se importe com quem está ao seu lado, parecerá bobo, mas isso te levará ao próximo nível.

**Segundo passo é:** acorde sorrindo respirando suavemente, inspirando pelo nariz e soltando pela boca, levante-se e se coloque na posição de Batman ou de Mulher Maravilha.

Com os olhos fechados, respire fundo. Essa respirada lhe levará a consciência corporal, esse *boot* cerebral é comprovado cientificamente pelo psicólogo americano William Moulton Marston, que fala que, se você ficar no começo de um dia com a posição de super-herói com o peito alto e o queixo alto, o seu cérebro muda a frequência comportamental.

Isso é muito importante. Faço isso todos os dias, recomendo que comece a fazer e lembre-se de sorrir.

## EU ACORDO TODOS OS DIAS SORRINDO, A ALEGRIA INCOMODA! ENTÃO, QUE ELA SEJA CONTAGIANTE.

**Terceiro passo é:** ativar o seu espírito através do seu relacionamento com o Criador. Pode ser em um breve momento, mas você precisa se conectar com o criador.

Da avaliação neurológica, ocorre uma mudança, quando praticamos esse exercício. A ativação quando focada na respiração, ativa a experiência direta e a mente sai do estado futuro ou passado e vive no agora.

Logo em seguida, ative a sua mente com a gratidão e com o que deseja que aconteça de bom no seu dia.

Outro exercício que faço todos os dias é aprender um assunto novo. Quando você se permite a aprender algo novo seu dia fica totalmente diferente. Essa conexão mental em aprender algo novo inicia um movimento diferente que será desdobrado durante o dia todo.

## QUANDO VOCÊ FOR SE RELACIONAR COM ALGUÉM E ESTIVER MUITO PREOCUPADO(A), A TENDÊNCIA É DE REALMENTE NÃO DAR CERTO ESSA RELAÇÃO. TREINE SEU CÉREBRO TODOS OS DIAS.

Assim, como o computador, o nosso cérebro possui um processador de informações que também precisa ser inicializado para o melhor aproveitamento das faculdades mentais e habilidades.

Você precisa manter uma postura de gratidão por tudo em sua vida. Até as provas mais desagradáveis da vida: elas não te definem, e sim servem para te lapidar.

### TAREFA

1) Faça o *Boot Cerebral* e escreva como foi essa experiência durante o seu dia?

---

2) Ensine alguém a fazer o *Boot Cerebral* e, depois de alguns dias, pergunte como ela se sentiu realizando esta prática.

---

3) Sem tirar a caneta do papel, tente ligar os 9 pontos com 4 retas.

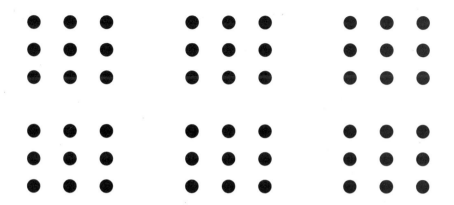

# Na divisão do conhecimento é o único momento que acontece a multiplicação.

CAPÍTULO 21

# UNIÃO X UNIDADE

## União gera dispersão

Para começar este capítulo, quero que você vá comigo no Salmo 1 que diz: "Bem-aventurado o homem que não anda segundo o conselho dos ímpios, nem se detém no caminho dos pecadores, nem se assenta na roda dos escarnecedores".

Para que você entenda bem o que eu vou explicar, é necessário compreender o significado das palavras União e Unidade.

**A PALAVRA UNIÃO SIGNIFICA: A ASSOCIAÇÃO OU COMBINAÇÃO DE ELEMENTOS, SEMELHANTES OU DIFERENTES COM INTUITO DE FORMAR UM CONJUNTO. UNIÃO É O ATO OU EFEITO DE UNIR DUAS PARTES DISTINTAS.**

Particularmente gosto de exemplificar a união como um saco cheio de laranjas, onde elas estão todas unidas, mas se este saco romper, as laranjas irão correr cada uma para um lado.

E se fosse uma dessas laranjas, você poderia estar sozinho(a) nesse momento. Porém, se eu fizer um suco com as laranjas, elas nunca mais voltarão a serem únicas, fisicamente isso não tem mais volta.

**POR ISSO, VOCÊ PRECISA DESCOBRIR QUEM VOCÊ É, E ESTAR EM UNIDADE COM PESSOAS QUE QUEREM IR PARA O MESMO LUGAR, COM OS MESMOS OBJETIVOS.**

Entenda a diferença de União e Unidade com o auxílio da linguagem matemática:

$1+1 > 1x1$

$2+2 = 2x2$

$3+3 < 3x3$

$4+4 < 4x4$

E assim por diante para qualquer número que você quiser imaginar. A soma é a representação da união e a multiplicação relata a unidade, já que se faz necessário que os elementos se unam e se multipliquem.

Você consegue entender agora, o porquê muitas pessoas demoram alcançar a vida que gostariam? De acordo com o salmista, a benção está intimamente ligada com quem você anda. Sim, isso mesmo, não precisa ser religioso para acreditar nisso, pois várias ciências que estudam a mente comprovaram que você é a média das cinco pessoas com quem convive.

Deixando a religiosidade de lado vamos usar o Salmo 1 como uma base para nosso entendimento de quem, a partir de agora, iremos escolher para andar juntos, dividir sonhos, se associar e compartilhar a vida.

Vamos dividir esse versículo do salmo em três partes e, quando estiver escrito a palavra "homem", considere-a de forma genérica e abrangente a todas as partes sociais.

Então, vamos lá: "Bem-aventurado é o homem que não anda segundo o conselho dos ímpios".

A palavra ímpio significa desumano, cruel e bárbaro. As pessoas que possuem essas características são aquelas que se você se associar, andar junto, com certeza, ouvirá frases como: "Comigo é bateu levou"; "Entra na justiça"; "Não deixe barato"; "Vamos lá dar uma porrada"; e "Eu resolvo as coisas no braço".

Enfim, esses são alguns exemplos de frases que serão como sementes introduzidas na sua mente para gerar discórdia e, no calor do momento, serão como combustível para fazer você tomar atitudes precipitadas que acabarão trazendo resultados desagradáveis ou até irreversíveis.

## A VINGANÇA É O PRINCÍPIO QUE NORTEIA ESSAS PESSOAS. CUIDADO COM ESSA GENTE ESTRANHA.

Vamos para a segunda parte: "...nem se detém no caminho

dos pecadores".

Aqui, neste versículo, o salmista fala do perigo em andar no caminho do pecador. E você me pergunta, mas, Pablo, que caminho é esse? E eu te digo que é o caminho que nos leva para longe do Criador.

Então, se Deus, o Criador, nos fez para viver e reinar nesta terra, logo se andarmos em caminhos que nos levam para longe Dele, não viveremos a prosperidade.

Com quem você tem andado? Essas pessoas te influenciam positiva- mente? Te levam a quebrar princípios ou andar guiados por eles? Elas te levam para perto ou para longe dos caminhos de Deus?

E na terceira parte: "...Nem se assenta na roda dos escarnecedores". Essas pessoas podem ser as mais perigosas, porque aparentemente é prazeroso estar com elas.

E você me pergunta, porque estou dizendo isso a você? Preste atenção que o salmista diz para não se assentar na roda!

## O ESCARNECEDOR TRATA AS PESSOAS COM DESPREZO PARA SE SENTIR SUPERIOR, E ESSE TIPO DE PESSOA NÃO ENCONTRA A SABEDORIA.

Você já percebeu que, quando pessoas que você convive, começam a falar sobre um parente chato, um colega de trabalho ou sobre uma liderança, e isso atrai outras pessoas que se juntam e normalmente até puxam uma cadeira e se assentam para acompanhar a fofoca?

Logo, vem à minha mente, uma mesa de bar e aqueles infinitos falatórios sem nenhuma edificação ou, até mesmo, aquelas mesas de domingo em família com fofocas intermináveis. Isso é terrível, pois é aí que mora o perigo. Você se alimentará de lixo.

## ELIMINE DA SUA VIDA ESSA PRÁTICA E ESSE TIPO DE PESSOA

## QUE NÃO DÁ NENHUM RETORNO.

Diariamente, passam pessoas zombadoras por nós. Então, vou te dar três dicas para não cair mais nesse engano:

• Pergunte ao fofoqueiro em que você será edificado pelo assunto?

• Avise que não quer esse tipo de conversa, porque seus ouvidos não são para isso.

• Se notar que as pessoas não vão parar de escarnecer, é melhor se afastar.

Você pode estar se perguntando: "Então, com quem devo andar?". E eu te respondo que você precisa encontrar pessoas que tenham a mesma frequência que a sua, a mesma linguagem e o mesmo propósito.

E o grande detalhe é que, com essas pessoas, você deve ter Unidade, para que ninguém te impeça de realizar seus objetivos.

### TAREFA

1) Qual a diferença de unidade e união?

_____

_____

_____

_____

_____

2) Que tipo de pessoas você vai deixar de carregar?

_____

_____

_____

_____

# Quebre as regras, mas nunca quebre um princípio!

## CAPÍTULO 22
# VALORES X PRINCÍPIOS

### Como manusear a bússola

Compreendermos os principais questionamentos da humanidade implicará em desvendar a nossa origem, a identidade, os nossos valores e propósito, ou seja, de onde viemos, quem somos, o porquê estamos aqui e, principalmente, como devemos viver o agora.

Alguns vão dizer que essas verdades nem sequer existem. Perceba que quem faz essa afirmação já está tentando defender uma verdade, a de que "não existe verdade", o que logicamente não faz sentido nenhum.

**SE A VERDADE NÃO EXISTISSE, NÃO HAVERIA RAZÃO ALGUMA PARA SE BUSCAR SABEDORIA OU APRENDER QUALQUER COISA SOBRE QUALQUER ASSUNTO NA VIDA.**

Além disso, exigimos a verdade em praticamente todas as áreas, principalmente naquelas que afetam nossos relacionamentos, nosso dinheiro, nossos valores e a nossa segurança.

**EU NUNCA ENCONTREI ALGUÉM QUE GOSTE DE OUVIR MENTIRAS E SER ENGANADO. ENTÃO, ACREDITE, A REALIDADE É UMA SÓ: TODOS NÓS PRECISAMOS DA VERDADE.**

Quero levar você ao mais profundo entendimento de que os princípios são as verdades consideradas universais e imutáveis para que uma sociedade se oriente através dos seus valores.

Em qualquer lugar do mundo, os princípios são verdades incontestáveis. Entre eles estão o amor, a liberdade, a paz e a plenitude. Esses são alguns princípios que fazem parte da nossa existência e são comuns em todos os povos, culturas e religiões, pois estão fundamentados desde o princípio.

Os valores podem ser mutáveis e também serem pessoais, pois dependem muito do caráter, da maturidade ou personalidade da pessoa e de sua postura ética.

No dia a dia, é muito mais fácil se preocupar com os valores do que com a verdades dos princípios, infelizmente porque o Ter se sobrepõe ao Ser e estabelece prioridade nas coisas, como, por exemplo, no dinheiro, no sucesso, no luxo e na riqueza.

Uma frase que eu sempre uso é: "Quebre as regras, mas nunca quebre os princípios". Por exemplo: quando eu estou fazendo as *lives*, enquanto dirijo o meu carro, se por acaso eu esqueci de colocar o cinto de segurança, logo algumas pessoas começam a encher o meu saco sobre essa benção de regra de segurança.

## QUANDO AS VERDADES VÊM ASSOCIADAS AOS PRINCÍPIOS, O TRANSBORDO É INEVITÁVEL E É NATURAL.

Veja que a palavra virtude, segundo o dicionário *Aurélio*, tem o significado de: "São disposições constante do espírito, as quais, por um esforço da vontade, se inclinam para a prática do bem".

## UMA PESSOA PODE TER VALORES E NÃO TER A VERDADE DOS PRINCÍPIOS.

Um exemplo que podemos citar aqui é o de Hitler, um homem ambicioso e obcecado por valores que contradizem os princípios universais.

Ele preferiu os valores do poder e aniquilação de uma raça, incluindo crianças e mulheres combatendo com força brutal a todos que se opunham a ele.

No mundo corporativo, não é diferente; e eu poderia fazer um livro inteiro apenas para compartilhar o que já vi e ouvi nesses ambientes, porém vou dizer somente que é insuportável trabalhar com profissionais que quebram princípios, como se fosse algo extremamente necessário para a sua sobrevivência, pois, na verdade, é isso mesmo: aqueles que não vivem por princípios apenas sobrevivem e nunca conseguem desfrutar de uma vida abundante.

Onde a verdade, a justiça e a virtude tem sido negligenciada, Deus deixou princípios para os homens viverem e desfrutarem da prosperidade de uma forma natural e ainda deixou o livro de *Provérbios*, que é uma coleção de condutas retas que falam sobre as verdades dos comportamentos morais.

**Vamos ver alguns princípios:**

**O primeiro de todos é Amar a Deus**, esse princípio é incondicional, não tenho nem palavras para descrever o quanto isso é uma verdade em minha vida.

**Família:** funciona como um eco, ela reproduz aquilo que você faz. A família é como um tripé, o homem comanda, a mulher é a ajudadora idônea e os filhos materializam o ser em uma só carne no reinado.

**Semeadura e Colheita:** esse é um princípio baseado na lei, existe um começo e nunca um fim. O que você quiser colher é preciso plantar, essa é a primeira lei da semeadura, em que cada semente gera de acordo com a sua espécie e nela já está contida a data da colheita. Quem plantar amor colherá amor, quem semear dinheiro também colherá dinheiro. A lei da semeadura também garante que você nunca colherá menos do tanto que plantou. Olha como é a natureza; com apenas uma semente de milho, podem ser geradas até 600 outros grãos. Em Oséias 8:7, a palavra de Deus diz: "Aqueles que semeiam ventos segarão tormentas". Você precisa tomar muito cuidado com o tipo de semente que está semeando.

**Autogoverno:** já foi tratado com muita evidência em capítulos anteriores, governar a si e aprender com suas emoções. Submeter a sua vontade em obediência a Deus é a marca da liberdade. O autogoverno é a capacidade de controlar as suas atitudes em qualquer lugar.

**Mordomia:** Deus é o dono de todas as coisas e deixa para o homem a responsabilidade de administrar a própria vida, correr atrás dos seus recursos ou ficar esperando.

"E tomou o SENHOR Deus o homem e o pôs no jardim do Éden para o lavrar e o guardar."

Gênesis 2:15

Entenda bem esse princípio de zelar, guardar e designar a função de um mordomo que, na ausência do dono, gerencia e cuida com maestria.

**Individualidade:** você deve buscar ser quem realmente é e não se importar com o que dizem ao seu respeito. Ter sua identidade bem definida e seu propósito clarificado. "Assim nós, que somos muitos, somos um só corpo em Cristo, mas individualmente somos membros uns dos outros". Romanos 12:4-5.

**Fonte:** a fonte que jamais se esgota é o Criador. O relacionamento com Deus não é pertencer a uma religião, nem ser partidarista, não é ter um direito reservado a um grupo de pessoas ou clero. Qualquer pessoa pode acessar a Fonte, Tê-lo como princípio, prosperar e alcançar um crescimento emocional e viver a vida em plenitude.

Esforce-se para viver por princípios e transferir para seus filhos e para qualquer pessoa que tenha relacionamento. Somente por transmitir isso para a próxima geração, você estará deixando o seu maior legado na terra.

### TAREFA

1) Faça uma relação de todos os seus valores e os seus princípios.

2) O que você compreendeu sobre quebrar as regras e viver por princípios?

**Não conheço ninguém disruptivo que é normal.**

## CAPÍTULO 23

# WOW

### A maior parte da humanidade não tem
### E aí, Titi?! Você tem uma vida WOW?

Você deve estar se perguntando o que vamos falar neste capítulo com esse nome que sai totalmente do senso comum e cai para dentro de uma nova realidade. Eu digo para você que será sobre muita criatividade e a uma vida de plenitude.

Quando tenho *insights*, sempre digo "Wow"! Considero muito interessante compartilhar mais alguns dos meus segredos com você.

Já quero, de início, fazer com que você fique curioso(a), pois eu sou uma pessoa que nunca fico triste.

Quando eu digo para você que a felicidade é permanente e a infelicidade é transitória, quero que entenda que a felicidade não tem nada a ver com o bem-estar e nem com a alegria que sentimos e muito menos com os períodos que passamos com sentimentos positivos.

### DECIDIR SER FELIZ É VIVER A VIDA NUM ESTADO DE PAZ INTERIOR E PLENITUDE.

Para que você alcance esse estado, é necessário construir bases sólidas na esfera do corpo da alma e do espírito. Todo o conhecimento emocional apresentado aqui neste livro tem um único objetivo, equipar você com o propósito de que sua vida seja plena em todas essas esferas.

Ser livre é um dos pilares que trará autorresponsabilidade com o seu corpo, de como cuidar da sua saúde física, para que você tenha saúde e desfrute o melhor dessa terra.

### CONTROLAR E GERENCIAR A SUA VIDA, SE AMAR E ESTAR ALINHADO COM A FONTE É O CAMINHO A SER SEGUIDO PARA EXPERIMENTAR A PAZ INTERIOR.

Ser feliz é criar um amadurecimento na mente, a fim de evitar pensa- mentos e atitudes que possam prejudicar os seus projetos na construção do propósito.

Agora é momento de agir em busca do que sua alma anseia. Hojé é o dia de viver a vida! *Lech Lechá*, que significa, faça uma viagem para dentro de você e busque encontrar em seu íntimo tudo aquilo que traz paixão à vida.

Hoje é o primeiro dia do resto da sua vida. Decida colocar a sua fé em ação, dando o melhor de si nesse processo de transformação. Note que qualquer opção corajosa e consciente que fizer será sempre melhor do que não escolher nada e permanecer aonde está, pois o passado já não existe mais e o futuro é apenas um sonho.

## SOMENTE O AGORA É QUE PODE PROVOCAR A TRANSFORMAÇÃO QUE OS SEUS OLHOS JAMAIS VIRAM E A SUA ALMA TANTO DESEJA. WOWWW!

A vida sempre será uma incógnita em qualquer nível que você estiver. Não conheço ninguém disruptivo que é normal, você precisa pegar esses três filtros cerebrais:

- **Seja divertido, infantil e ridículo!**

Várias pessoas gostam de falar que eu sou meio doido, na verdade, uma pessoa quando encontra essência dela, ela se torna a mais normal de todas.

Doido é você que vive uma vida inteira na média, tentando se comportar para agradar os outros. Isso pra mim é uma loucura!

## SERÁ IMPOSSÍVEL EVITAR AS SURPRESAS QUE O CAMINHO TE RESERVA, NO ENTANTO, SER APRISIONADO PELO MEDO DE VIVER SERÁ UM SOFRIMENTO AINDA MAIS CONFLITANTE.

Viver é um ato de coragem, se você confia em Deus e em si mesmo(a), você nunca se acovarda. Pode até cair algumas vezes, mas se levantará cada vez mais fortalecido e com mais bagagem de conhecimento e sabedoria.

### VOCÊ AGORA VAI DESTRAVAR MUITAS COISAS PARA VIVER O QUE SEMPRE DIGO QUE É NATURAL: A PROSPERIDADE.

O meu segredo em relação ao dinheiro é a maneira como eu trato ele, ou seja, faço ele de escravo.

### A RIQUEZA NÃO VEM PARA AQUELES QUE GANHAM MUITO, MAS SIM PARA AQUELES QUE PODEM GERENCIAR CORRETAMENTE QUALQUER QUANTIDADE DE DINHEIRO.

Se o dinheiro for a sua única esperança de independência, tenho que lhe dizer algo: você nunca se tornará independente!

Agora tudo começará a fazer sentido para você, pois a sua felicidade estará completamente relacionada ao propósito de servir, amar e transbordar na vida dos outros.

### DEIXE DE SER UMA REPRESA E COMECE A GERAR VALOR NA VIDA DAS PESSOAS.

A partir de agora, seja ousado(a) e busque sempre carregar a sua alma, o seu corpo e o seu espírito com emoções construtivas.

Anote todos os *insights* que surgirem na sua mente e parta para ação.

Lembre-se: Pensamento + Ação = Realização

O pensamento é a semente; a ação é o cultivo; e os frutos serão a realização.

### TAREFA

1) O que você entendeu por uma vida WOW?

_____

_____

_____

2) Quais serão as sementes e as ações que você começará a cultivar?

_____

_____

_____

**Perfure qualquer camada do seu cérebro que tem impedido você de viver o melhor nessa terra e comece a transbordar o rio que existe no seu interior.**

## CAPÍTULO 24
# X DA QUESTÃO

## Não é para todos, apenas para os que querem

Que bom que você chegou até aqui! Isso é sinal de que você realmente está pronto para entrar no capítulo que te levará a um lugar totalmente novo e descobrir o X da questão.

Vamos fazer uma análise do comportamento dessa geração. Confesso que a cada geração que passa, estamos nos aperfeiçoando em inúmeros quesitos, porém somos a geração mais imediatista dos últimos tempos, chamada de geração do *fast food*.

Eu recebo inúmeras mensagens de pessoas que querem que eu responda na mesma hora e, em algumas situações, faço questão de deixar a pessoa esperando, para tratar essa ansiedade desenfreada.

## EU NÃO SOU OBRIGADO A AGRADAR NINGUÉM!

## ESSA MUDANÇA GERACIONAL TEM DEIXADO AS PESSOAS CADA VEZ MAIS EXIGENTES E COBRANDO RESPOSTAS URGENTES.

Lembro-me bem quando meu pai me dizia que, no ambiente de trabalho, os mais jovens aprendiam com os mais velhos. Atualmente, esses papéis têm se invertido. E o contrário tem acontecido com grande frequência.

O tempo parece estar cada vez menor, mas sabemos que isso não é uma realidade, porque o tempo é o mesmo desde o princípio. Contudo, com o avanço da tecnologia, a capacidade de resolver problemas está cada vez mais rápida.

No entanto, as pessoas estão cada vez mais ansiosas e frustradas, procurando por respostas em vários lugares e não as encontram.

Você é assim, igual a essa geração imediatista que procura respostas, exige providências e se esquece do processo?

Se é uma dessas pessoas, quero lhe dizer que a resposta será encontrada dentro de você ao acessar a Inteligência Suprema, pois ela é o caminho que nos leva para a Fonte de toda a sabedoria.

Foi para um tempo como este que você nasceu, para se encontrar e ensinar outras pessoas a buscarem sua identidade!

## A INTELIGÊNCIA SUPREMA É A ESPIRITUAL.

## A CONEXÃO DIRETA COM O CRIADOR. ESTE É O X DA QUESTÃO!

Estou te ensinando algo que você não irá aprender na escola, nem na sua casa e talvez nem na sua igreja.

A Inteligência Suprema diz respeito a inteligência existencial, sendo ela o canal de sabedoria, no qual qualquer pessoa livre pode ter acesso a pensamentos e ideias inovadoras.

Isso se dá com o alinhamento das três esferas existenciais: Corpo, Alma e Espírito.

## ISSO NADA TEM A VER COM RELIGIÃO, E SIM COM ESTAR TOTALMENTE CERTO E CONVICTO DAQUILO QUE VOCÊ NASCEU PARA SER.

E se você não tem essa certeza ainda e quer iniciar uma busca por respostas, primeiro precisa existir no seu interior a indignação de saber que você não está 100% alinhado ao seu propósito. E, por isso, essa é a causa de você não estar desfrutando de uma vida de transbordo.

## DEUS DEU TUDO O QUE VOCÊ PRECISA PARA VIVER UMA VIDA PLENA E COM PRINCÍPIOS.

Eu, do fundo do meu coração, quero que você passe por uma *Metanóia*, e comece a viver os melhores anos da sua vida, a partir de agora!

## A INTELIGÊNCIA ESPIRITUAL É UMA EVOLUÇÃO NA MANEIRA DE COMO A CIÊNCIA DESCREVE NOSSA RELAÇÃO COM A VIDA E COM O MUNDO.

## A BUSCA POR ENCONTRAR ESSE CAMINHO TEM DESPERTADO UMA GERAÇÃO TRANSFORMADORA, PORÉM VOCÊ TEM A SUA INDIVIDUALIDADE E O SEU PROPÓSITO. ENTÃO, SEJA VOCÊ O RESPONSÁVEL POR INICIAR ESSA TRANSFORMAÇÃO DENTRO DA SUA CASA.

Você, em algum momento, já deve ter ouvido falar das frases filosóficas e subjetivas, como: "Quem sou eu?"; "Para onde vou?"; ou "O que torna a vida digna de ser vivida?". Já compartilhei e reforçarei, neste capítulo, que a Ciência tem cooperado, e muito, para trazer esclarecimento que há alguns anos eram desconhecidos.

Os cientistas identificaram no cérebro humano um ponto chamado de "Ponto Divino", que impulsiona a necessidade humana em buscar um sentido para a vida. Alguns físicos descrevem que pessoas com esse ponto do cérebro ativo possuem um Quociente Espiritual alto, fluem no pensamento criativo, no processo de *insights,* na gerência e formulação de regras.

Os estudiosos Zohar e Marshall afirmam que a inteligência espiritual é a "inteligência fundamental", pois desenvolve no ser humano capacidades de alterar as regras, condutas e situações, trazendo um sentido moral.

## UMA DAS MAIORES DIFICULDADES DA HUMANIDADE É TRAZER A SABEDORIA E OS SIGNIFICADOS DO INVISÍVEL AO PLANO VISÍVEL.

Você precisa ser uma pessoa holística que busca um entendimento integral dos fenômenos. Alguns religiosos de plantão já se assustaram com a palavra holística, e eu explico o que ela quer dizer que é o estudo na sua integralidade, estudar o ser humano em um todo.

## QUEM NUNCA SENTIU UM VAZIO IMENSO DENTRO DE SI? ESSE VAZIO É O ESPAÇO DA INTELIGÊNCIA ESPIRITUAL.

E quem nunca sentiu a necessidade de procurar um sentido maior para a sua existência e mudar os rumos da própria vida?

A espiritualidade sempre esteve presente na história da humanidade. Ela nos ajuda a lidar com questões essenciais, e é mais uma chave para a compreensão do mundo.

Primeiramente, é necessário entender o que é sabedoria vertical.

A sabedoria vertical é encontrar um canal dentro do seu cérebro que ao perfurar a razão atinge o QE e destrava o QS. Isso quer dizer que o primeiro passo é querer entender o que não se vê e depois naturalmente seu cérebro é destravado e você começa a ver e viver experiências que não são explicadas dentro do QI e QE.

Ao sair do ritmo hipnótico, você começará a perfurar as camadas do seu cérebro, permitindo-se viver um novo nível com novas experiências em sua vida até destravar o QS.

O QS é destravado quando começa a ser desejado, costumo dizer que é parecido com o período de namoro ou paquera entre um casal, ambos têm o desejo de se conhecer. Por isso, se arrumam e geram expectativas.

Esse período da paquera é como se apertasse um botão no cérebro que destrava o ponto do sobrenatural. Depois desse ponto, começa a viver a Plenitude, que quer dizer viver a vida de forma natural, aquela vida que o Criador desenhou para todos os seres humanos, mas que, infelizmente, somente alguns desfrutam dela.

Depois que atingir este nível, entenderá o que é viver de forma natural. Avalie o porquê Deus te deu a terra e siga os princípios igual ao Mestre Jesus.

## A VERDADE É AQUILO QUE EU ESCOLHO ACREDITAR

## E JESUS É A VERDADE ABSOLUTA.

Espero que tenha sacado! Então, destrave esse código sendo livre. Eu te conduzi e te ensinei como atingir a Inteligência Suprema, porém reforço que, quanto mais intimidade e experiências tiver com o Criador, mais você desfrutará de uma vida em plenitude.

## PERFURE QUALQUER CAMADA DO SEU CÉREBRO QUE TEM IMPEDIDO VOCÊ DE VIVER O MELHOR NESSA TERRA E COMECE A TRANSBORDAR O RIO QUE EXISTE EM VOCÊ.

## TAREFA

1) O que você entendeu por X da questão?

2) Você está disposto a sofrer uma *metanóia* para atingir a inteligência suprema? Como fará isso?

O poder que temos com a nossa mente é algo extraordinário. Comece a dar o SIM para você, pare de se julgar e negativar a própria vida!

## CAPÍTULO 25
# YES

## O sim eu já tenho, o não é só quando eu escolho

Com certeza, você já ouviu a frase: "O não eu já tenho. Eu vou em busca do sim". Contudo, que bom que hoje é o dia de você acabar com mais essa mentira. Porque a verdade é o contrário do que está acostumado a ouvir! Você já tem o SIM; e o não é somente quando quiser. Posso te garantir isso no livro de 2 Coríntios 1:20 – "Pois, tantas quantas forem as promessas de Deus, todas têm em Cristo o "sim"...".

As palavras são capazes de influenciar e causar impactos gigantescos sobre sua vida, tanto para o bem, quanto para o mal. Você já parou para pensar nisso?

Quem toma cuidado com o que diz está protegendo a sua vida, mas quem fala demais destrói a si mesmo e o próximo.

A língua tem um grande poder, com ela você pode abençoar ou amaldiçoar, encorajar ou desmotivar e até salvar ou matar alguém. Por isso que eu insisto que você aprenda a dominar seus pensamentos e, principalmente, aquilo que sai da sua boca.

Quem não controla a língua pode acumular muitos problemas desnecessários.

## QUEM SE SUBMETE AOS CONSELHOS DE DEUS PRATICA A PRUDÊNCIA DA FALA. USA ESSE CANAL PODEROSO PARA ABENÇOAR E GERAR VIDA NAS PESSOAS E POR TODOS OS AMBIENTES ONDE PASSAR.

Já está mais que comprovado que o cérebro recebe comando das palavras que falamos. O problema é que nossa mente não funciona igual para todas as palavras.

Vou te dar um exemplo, se eu disser: "Não pense numa borboleta azul". Me diga o que aconteceu? É lógico que você pensou! Por isso, é necessário trocar os comandos negativos do seu cérebro por positivos.

Na minha casa, crio os meus filhos dizendo poucas vezes a palavra "não", eu sempre substituo por uma pergunta. Em vez de dizer: "Não mexe aí". Eu reformulo a frase e lanço uma pergunta: "Você acha mesmo que é uma boa escolha mexer em algo que pode te machucar?". Pronto, eles já param e desistem do que iriam fazer.

Quando eu trabalhava em uma empresa de telefonia, eu colhia o máximo de dados para o *approach*, que é a fase de "quebrar o gelo", depois eu devolvia em forma de perguntas.

Eu entrava no mapa de mundo do cliente e ganhava relacionamento para prosseguir no meu caminho que era resolver em menor tempo com maior aceitação. As pessoas são carentes e, muitas vezes, elas somente querem ser ouvidas. Dê ouvidos, mas não perca seu FOCO.

## O PODER QUE TEMOS COM A NOSSA MENTE É ALGO EXTRAORDINÁRIO, COMECE A DAR O SIM PARA VOCÊ, PARE DE SE JULGAR E NEGATIVAR A PRÓPRIA VIDA!

Na resolução de um problema, você deve mentalizar que já resolveu esse problema. A permissão em deixar a mente pensar em coisas negativas diminui o tempo em que tem para alcançar seus objetivos.

Enxergue-se fazendo a pergunta Top. A pergunta TOP é aquela do topo, é a primeira que vem à sua mente. E se você me perguntar se existe alguma pergunta idiota, eu te digo que NÃO! Porque um idiota nunca faz perguntas.

Uma pessoa que tem inteligência emocional, sempre faz perguntas, pois ela precisa transferir a pressão para a outra pessoa, e encontrar a melhor saída para qualquer situação.

Agora, vamos imaginar que você tenha um comércio. A porta da loja está com muitos clientes. Ao abrir a porta, as vendas iniciam a todo vapor. O estoque estava cheio, mas a procura foi tão grande que logo se esgotou. Isso que acabamos de fazer se chama mentalização e funciona extraordinariamente.

Faço isso constantemente, treinando a minha mente e o resultado é sempre surreal. Talvez você em meu lugar não conseguiria imaginar o final disso, mas isso é somente uma questão de prática e também se chama FÉ!

Para imaginar algo, precisamos seguir alguns passos. O primeiro deles é a mentalização, onde as imagens são construídas e reconhecidas pelo córtex frontal. Ao mentalizar você está dando o primeiro passo rumo ao que deseja.

A segunda atitude é a verbalização. Afinal, quando você diz que mentalizou, está ensinando o seu cérebro a começar a crer que aquilo é real.

O terceiro passo é escrever. Acredite, aquilo que não está escrito não tem valor legal e não existe.

E o quarto e o último passo é a visualização. Nesse ponto, é necessário compreender que a mentalização é diferente da visualização, pois a primeira é feita pelo córtex frontal. Já a visualização com o córtex pré-frontal, responsável pela própria experiência.

Essa prática de mentalização diz respeito ao hábito que eu crio no meu cérebro para dizer SIM para as coisas que eu desejo alcançar.

Fé é acreditar no impossível, logo Jesus disse: "Pedi e recebereis! Por qual razão esse pedido de fé não é relacionada à mentalização?

Imaginar a cura de uma criança ou um parente querido não te impede de mentalizar usando os FUNDAMENTOS DE FÉ?

Para mim, tudo que falam de energia e mentalização sempre se referiu à Fé. Em hebreus 11:1 diz: "Ora, a fé é o firme fundamento das coisas que se esperam, e a prova das coisas que se não veem".

E a espera está diretamente relacionada à visão, um comando é acionado para que o cérebro perceba que algo está sendo modificado. Alguns chamam de segredo, mistério, energia, campo de atração, mas, para mim, isso se chama Fé e, com ela, seus resultados serão imbatíveis.

Existe uma conexão do mundo espiritual com aquilo que você mentaliza e, eu garanto, não tem nada a ver com religiosidade, quer você acredite ou não, coisas do mundo espiritual que são trazidas à existência no mundo físico.

O cérebro é o principal motor de comando, comece a cuidar mais dele, abasteça sua alma de coisas que seu espírito necessita para chegar longe, e faça com que ele tome uma atitude intelectual e racional.

Quando as três inteligências QI, QE e QS estiverem alinhadas, a prosperidade será inevitável, mas lembre-se: nunca pare.

Existe uma linha de progresso e de crescimento continuo para expansão do seu corpo, da sua alma e do seu espírito.

Você precisa ter consciência do SIM e do NÃO para saber quando usá-los.

Nem sempre dizer "NÃO" é ruim. Pois, quando diz um NÃO para alguém, você está dizendo SIM para si.

Não se trata de ser um egoísta que ignora as necessidades dos outros, mas é necessário estabelecer os limites e não ceder diante de um quadro de manipulação emocional.

Determine quando negar e quando aceitar os pedidos. Você apenas precisa ter coragem para dizer não e elegância para não ferir e machucar ninguém.

**É IMPORTANTE APRENDER A DIZER NÃO. CASO CONTRÁRIO, VOCÊ PERDERÁ O CONTROLE DA SUA VIDA E SENTIRÁ RAIVA DE VOCÊ POR FAZER COISAS QUE NÃO QUERIA FAZER. ISSO SE CHAMA "NECESSIDADE DE APROVAÇÃO".**

Quando você diz não, prioriza a sua vida e os seus resultados, e também emite confiança em si mesmo. Isso faz com que as pessoas ao seu redor te respeitem e deixem de te usar como um capacho.

A ciência vem avançando cada dia mais em descobertas sobre a mente humana. Há algum tempo, acreditou-se que nosso cérebro não sofria nenhuma mudança depois da fase adulta, que nada poderia condicioná-la a mudar, ainda mais quando se tratava de lesões neurais.

Contudo, alguns estudos apontaram o contrário: que mesmo diante de lesões cerebrais graves, o sistema nervoso mostra que existe um caminho novo e ele pode ser reconfigurado e adaptado.

Até o corpo diz "sim" para continuar a viver – isso se comprova na neuroplasticidade. Considero isso como algo divino; a mente humana tem criado possibilidades de realizar novas formas para restaurar o lugar lesionado. É um processo contínuo de realização de novas pontes neurais, criações de circuitos desencadeando novas atitudes e novos pensamentos.

## ENGANAM-SE OS QUE PENSAM QUE ESSE PROCESSO PODE OCORRER SOMENTE EM PESSOAS COM GRAVES LESÕES NEUROLÓGICAS.

## ISSO PODE ACONTECER COM QUALQUER PESSOA DO PLANETA!

"Não vivam como vivem as pessoas deste mundo, mas deixem que Deus os transforme por meio de uma completa mudança da mente de vocês. Assim vocês conhecerão a vontade de Deus, isto é, aquilo que é bom, perfeito e agradável a Ele."

Romanos 12:2.

As crianças são ótimos exemplos, elas conseguem demonstrar a capa- cidade de desenvolver novas competências e se adaptar rapidamente, como quando aprendem a tocar um instrumento musical, a falar um novo idioma ou resolver atividades de raciocínio lógico.

## QUE VOCÊ ESTEJA PRONTO(A) PARA CRIAR NOVAS FORMAS DE DIZER SIM PARA A VIDA, DESFRUTANDO O MELHOR QUE ELA TE DÁ.

Diga palavras que atraiam as coisas que você deseja viver e pare de dizer coisas depreciativas sobre você. Mentalize com fé novas conexões neurais para viver a vida do SIM que o levará a realização do seu propósito.

### TAREFA

1) Quais foram os prejuízos que já teve por não saber dizer NÃO?

_____

_____

_____

_____

_____

_____

_____

2) O que mentalizará como um SIM para a sua vida? Escreva abaixo como foi essa experiência.

_____

_____

_____

_____

_____

_____

_____

O barulho que tem atrapalhado você de ouvir a sua voz interior e a voz de Deus. Silêncio, por favor! Você dá conta?

# CAPÍTULO 26
## ZUNIDOS

### Qual é a sua frequência?

Você já parou para pensar no quanto as pessoas estão tagarelando? Já ouviu essas frases de fofocas, como: "Você não sabe da última?"; "Você nem imagina!"; "Espere só até ouvir isto"; e "Promete guardar um segredo?"?

Apenas com o início da conversa, a introdução já deixa claro que falar é a causa principal para desabafar a dor da alma. É muito instigante saber de novidades, mas tome cuidado! Você que está buscando alcançar a Inteligência Suprema não deve criticar ninguém e muito menos falar mal de pessoas.

### PESSOAS COMUNS FALAM DE PESSOAS, PESSOAS MEDIANAS FALAM DE COISAS E PESSOAS EXCEPCIONAIS FALAM DE IDEIAS.

### REPENSE OS HÁBITOS QUE PODEM ELEVAR A SUA INTELIGÊNCIA!

Esse mau hábito – conhecido como tagarelice – é notório somente em pessoas improdutivas. A tagarelice é um fenômeno universal comum às pessoas de todas as raças, idades e culturas.

De acordo com o *Journal of Communication*, até mesmo criancinhas tagarelam "praticamente desde que aprendem a falar".

Quem imagina que as mulheres sejam as principais geradoras de zunidos se enganou. Os pesquisadores Levin e Arluke analisaram as conversas de um grupo de rapazes e moças universitários. E qual foi o resultado? Os homens se mostraram tão ativos a tagarelar quanto às mulheres.

O que será que atrai tanto no tagarelar? Quais os bons motivos para nos prevenirmos contra isso?

Esse barulho é uma conversa fútil e sem propósito de bons resultados. Geralmente, ela se concentra em fraquezas, fracassos, triunfos e infortúnios das pessoas.

É natural estar interessado na vida do outro, mas seja cauteloso(a), não ultrapasse os princípios que ferem os limites. A necessidade de falar e expor a própria vida e a vida alheia são um dos maiores venenos dos relacionamentos.

## E O ZUNIDO É JUSTAMENTE ESSE BARULHO QUE TEM ATRAPALHADO VOCÊ DE OUVIR A SUA VOZ INTERIOR E A VOZ DE DEUS. SILÊNCIO POR FAVOR! VOCÊ DÁ CONTA?

Os zunidos dificultam o caminho e podem te levar a uma vida improdutiva.

Já parou para pensar em quantas oportunidades perdeu por ficar dando ouvidos aos falatórios? Esses falatórios têm sido as frequências que têm te distanciado do seu propósito.

Para ter um ouvido mais apurado que consiga discernir a sua voz interior e a voz de Deus, comece com atitudes simples, como a de escutar os pássaros quando sai pela rua do seu bairro.

## O CRIADOR TEM TENTANDO FALAR COM VOCÊ HÁ ANOS, MAS EXISTEM FREQUÊNCIAS QUE TÊM DISTORCIDO E NÃO TÊM DEIXADO VOCÊ OUVIR.

Deus sempre quis que você soubesse que Ele está contigo desde o ventre de sua mãe. O Criador tem falado com você mesmo quando não consegue ouvir. Você precisa ajustar a sua frequência para ouvir a voz Dele.

Ele esteve presente no nascimento de novos integrantes da sua família, no abraço que recebeu quando estava triste, na provisão quando estava na escassez, no consolo quando perdeu um ente querido e em tantos outros momentos.

## ELE NUNCA TE DEIXOU SOZINHO E ESTÁ SÓ ESPERANDO VOCÊ QUERER OUVI-LO.

Você já está pronto para dedicar um tempo e ficar em silêncio para ouvir a sua voz interior e a voz de Deus?

Acredito que já entendeu onde quero chegar, então, responda-me: Deus não tem mesmo falado com você ou é você quem não tem ouvido a voz D'Ele?

Independentemente de sua resposta, tenho certeza que Ele fala com você e te ouve, essa verdade está registrada em seus princípios que são atemporais.

Os que sabem escutar têm muito a ensinar em todos os seus relacionamentos. Algumas vezes, ficar em silêncio e apenas observar pode ser produtivo e interessante para entender como funciona essa dinâmica.

Não estou dizendo que você não deva falar, eu apenas estou sugerindo que você pode aprender muito apenas observando.

Interaja, troque ideias e se conecte a outras pessoas para se tornar cada vez melhor.

## O QUE FALTA EM MIM PODE ESTAR EM VOCÊ!

Para que você transborde, será necessário separar um tempo para se avaliar, equalizar, dominar suas emoções, viver novas experiências, ressignificar e entrar no processo de crescimento e transformação, entendendo o que é a FREQUÊNCIA.

Todos somos parte de uma frequência, inclusive a terra e o mar. Tudo existe em nosso planeta em forma de energia e, muitas vezes, não conseguimos identificar por não conseguir ver ou sentir, assim como os sons das emissoras de rádio.

O nosso cérebro funciona de uma forma incrível, como um tradutor, decodificando os códigos e criando novas escolhas.

Contudo, isso vai muito além, ele também é um gerador de energia que pode ser percebido por outras pessoas.

A sua trajetória, as suas escolhas, os seus comportamentos ou hábitos têm transformado em quem você é. E, agora, você gostaria de continuar na mesma frequência? São os seus pensamentos e seus sentimentos que lhe dizem de imediato em que frequência está. Você atrai o que a sua frequência transmite. Quando emite sinais de frequências ruins, você fica como um rádio fora de estação, emitindo zunidos.

Cuidado ao captar os zunidos das pessoas, pois essas frequências atraem coisas ruins, assim como o inverso é verdadeiro. Quando se sente bem, está poderosamente atraindo para si coisas boas.

Se emite uma frequência de pensamentos negativos, como, por exemplo, tristeza, raiva e medo, certamente, tudo isso voltará para você como um bumerangue.

Mais uma vez, peço que cuide de seus pensamentos, aprendendo a buscar uma forma positiva para viver.

## ALÉM DE TER PENSAMENTOS ELEVADOS, É NECESSÁRIO SE BLINDAR DE PESSOAS TÓXICAS.

Todas as pessoas que te rodeiam influenciam diretamente em sua frequência vibracional. Se, em um raio de sete metros, estiverem pessoas alegres, você também entrará nessa vibração.

Agora, se estiver cercado de pessoas que somente reclamam, tome muito cuidado, pois elas podem estar roubando a sua frequência e, como consequência, lhe impedem de utilizar a Lei da Atração em seu favor.

Eu não assisto televisão para não modificar a minha frequência. Quando você assiste programas que abordam desgraças, mortes, traições e outros assuntos negativos, o seu cérebro aceita aquilo como uma realidade e libera uma química em seu organismo, fazendo com que a sua frequência seja afetada.

Sendo assim, assista coisas que te façam bem e te ajudem a vibrar numa frequência mais elevada. Eu apenas assisto documentários e alguns filmes, e olhe lá!

## É UMA PERDA DE TEMPO E DE ENERGIA VOCÊ ASSISTIR ALGO IMPRODUTIVO. NÃO ESTRAGUE SUA FREQUÊNCIA!

Espero ter sido claro e feito você pensar sobre quais situações deve excluir e ajustar na sua vida, para que sua frequência vibracional estabeleça uma constância e seja elevada.

Torne isso um hábito diário e viva essa transformação para que mais pessoas possam ser atraídas em suas frequências.

### TAREFA

1) O que tem roubado a sua frequência?

## O DESTRAVAR DA INTELIGÊNCIA EMOCIONAL

2) Escreva 5 ações para elevar a sua frequência.

E AÍ, SENTIU O PODER QUE PODERÁ TRANSFORMAR A SUA VIDA? SE FIZER AS TAREFAS NÉ, TITI?

E OLHA QUE ESSE FOI SOMENTE O COMEÇO...

SE VOCÊ QUISER SE CONECTAR COMIGO E CONTINUAR SUBINDO O RIO, É SÓ ESCANEAR O QR CODE E CAIR PRA DENTRO!

TMJ ATÉ DEPOIS DO FIM!

# ANOTAÇÕES:

**CONFIRA NOSSOS
LANÇAMENTOS AQUI!**

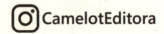